350,00

Hugh Roberts
Algiers
October 31, 2002

D1403257

FOLIO POLICIER

Yasmina Khadra

Morituri

Gallimard

*Cet ouvrage a été précédemment publié aux Éditions Baleine
dans la collection « Instantanés de polar ».*

Yasmina Khadra est née en Algérie qu'elle n'a pas quittée depuis plus d'une décennie. En 1989, elle opte pour l'anonymat pour échapper à la censure. Ses romans sont les seuls moyens dont elle dispose pour communiquer avec le monde extérieur.

À notre regrettée Houaria C. Chaïa

Les plus grandes époques de notre vie sont celles où nous avons enfin le courage de déclarer que le mal que nous portons en nous est le meilleur de nous-mêmes.

NIETZSCHE

QUELQUES PETITES EXPLICATIONS
SUR LES NOMS EMPLOYÉS

LANKABOUT : araignée.

DINE : religion. En arabe, c'est le début de l'insulte : *Naa dine babek* ou Maudite soit la religion de ton père.

BLISS : le diable. Dans le Coran, la femme tient de Bliss ! En 1990, le mot d'ordre du FIS pour les municipales était : *Dad bliss, vote FIS.* (Contre le diable, vote FIS.)

GHOUL : l'ogre, le méchant propriétaire.

TAGHOUT : dictateur. Mot employé par les islamistes pour désigner tous les employés du gouvernement jusqu'aux petits flics.

HAJGARN : la corne.

ABOU KALYBSE : jeu de mot en algérien à partir du français (apocalypse). *Abou* (père de) et *kalybse*, que l'on peut lire *kalypse* puisque la lettre P n'existe pas dans l'alphabet arabe.

ERGUEZ : le mâle en langue berbère.

NAHS : malheur.

1

Saigné aux quatre veines, l'horizon accouche à la césarienne d'un jour qui, finalement, n'aura pas mérité sa peine. Je m'extirpe de mon plumard, complètement dévitalisé par un sommeil à l'affût du moindre friselis. Les temps sont durs : un malheur est si vite arrivé.

Mina ronfle à portée de mon déplaisir, épaisse comme une pâte rancissante, un bout de nichon négligemment déployé sur la bordure du drap. Elle est loin, l'époque où je me l'envoyais au détour du plus innocent des attouchements. C'était le temps où j'avais l'orgasme à fleur de peau ; le temps où je ne pouvais dissocier la fierté de la virilité, le positivisme de la procréation. Aujourd'hui, ma pauvre bête de somme a régressé comme les mentalités. Elle n'a pas plus d'attrait qu'une remorque couchée en travers de la chaussée, mais elle a l'excuse d'être là quand j'ai peur dans le noir.

J'enfile mon costume de prolétaire malgré lui, avale un breuvage aux arrière-goûts de rinçure, passe un bon quart d'heure à faire le guet derrière ma fenêtre au cas où un terroriste s'aviserait de me faire péter ma tirelire-à-préjugés. Apparemment, la voie est libre. À part un éboueur en train de ramasser une ordure qui sera immanquablement là demain, la rue est aussi déserte que le paradis.

Il y a, de mon immeuble au garage où je range ma voiture, deux cents mètres. Avant je les parcourais d'une seule enjambée. Aujourd'hui, c'est une expédition. Tout me paraît suspect. Chaque pas est un péril. Des fois, j'ai tellement les jetons que j'envisage de rebrousser chemin.

Le gardien est un type bien. Je lui fais de la peine. Dans sa modeste conception des choses, il me considère comme mort. Il est même étonné de me voir survivre aux jours.

Nous n'avons pas été assez proches l'un de l'autre. Nos rapports se limitaient à bonjour-bonsoir. Mais il savait où me joindre quand il avait un pépin. Lorsqu'il débarquait chez moi, avec sa mine défaite, à des heures impossibles, je le rassurais de suite. J'étais le bon flic du quartier, constamment disponible et désintéressé, et mon gourbi, à défaut de faire figure de confessionnal, accueillait sans distinction de mœurs ou de race d'interminables cohortes de marginaux. Je n'étais pas le prophète, cependant, me semblait-il, je disposais d'un contingent d'ouailles, de quoi ravitailler dix révolutions. Puis on s'est mis à canarder mes collègues, et mon univers s'est subitement dépeuplé. Dans la rue, on fait comme si on ne me connaissait pas. Être proche d'un poulet, c'est s'exposer bougrement. Surtout quand ça mitraille tous azimuts. Plus personne n'ose m'adresser un petit signe, pas même un regard furtif ; plus personne ne se souvient des petits services que je lui rendais, du guêpier d'où je le tirais.

Au pays des quatre vents, les girouettes voltigent.

Désormais, je suis « *le* » flic, un point, c'est tout. Je suis censé afficher mon statut de cible privilégiée et la boucler. Raison pour laquelle le gardien m'accueille avec des yeux funèbres et me raccompagne jusqu'à ma voiture comme à l'enterrement. Plus de révérence fébrile, plus de trémolos dans son bonjour-monsieur-le-commissaire, plus cette humilité frisant l'hypocrisie. Mon gardien se permet même un cran de condescendance. Certes, il n'est rien, mais il ne risque rien. Dans un sens il prend sa revanche sur la hiérarchie sociale.

J'arrive au central avec une heure de retard. Mesures de sécurité obligent. Il nous est impérativement recommandé de travestir nos habitudes.

Le planton me saute dessus juste au moment où je franchis le seuil de l'établissement.

— Le patron vous demande.

— Dis-lui que je viens de me faire descendre.

Je l'écarte d'une main agacée et m'engouffre dans mon bureau.

Mon lieutenant Lino est là. Avant c'était le champion des absentéistes. Obstinément derrière ses petites magouilles, ses trafics d'influence et ses putains. Il avait compris qu'au sultanat des truands et du népotisme, un miracle, ça se négocie. Il touchait deux sous, ne bénéficiait d'aucun profil, d'aucune garantie. Le logement, il n'avait pas le trou du cul assez élastique pour l'obtenir. La petite famille, il avait évidemment la bite hardie, mais pas assez de couilles pour la fonder. Aussi se débrouillait-il, Lino, dans le brouillon qu'était notre société.

Dans un bled où, pour acquérir un misérable frigo, il faut se lever tôt, on ne doit pas exiger de la sentinelle de veiller tard. C'est pourquoi, compatissant, je fermais l'œil sur ses agissements.

Mais Lino s'est assagi d'un coup. Il est au bureau avant le planton. Normal, puisqu'il y passe la nuit. Il ne rentre plus chez lui, à Bab el Oued, depuis qu'un brelan de barbus est venu prendre les mesures de sa carotide pour lui choisir un couteau approprié.

Traumatisé, le lieutenant. À peine s'il ose s'approcher de la fenêtre. Et le soir, quand il éteint pour dormir, il a tellement les pétoches qu'on percevrait le tintement de ses calculs.

Il est derrière sa machine à écrire, des cernes sur sa face de Pierrot. Il n'a plus d'ongles aux doigts, plus d'expression dans le regard, et il fait pitié à pierre fendre.

— Sais-tu ce qui arrive aux gars qui se font trop de souci, Lino ? Ils auront des enfants chauves.

— J'sais même pas si je serai encore de ce monde, demain.

— Ne te complais pas dans ton misérabilisme de victime expiatoire. Ça n'émeut plus personne… T'as lu le BRQ ?

— Ouais.

— Bilan ?

— Deux écoles, une usine, un pont, un parc communal, quarante-trois poteaux électriques bousillés.

— Pertes humaines ?

— Trois flics, un militaire en permission, un instituteur et quatre pompiers.

— Pourquoi les pompiers ?

— Le cadavre qu'ils étaient allés récupérer était piégé.

— Eh, ben…

J'extirpe un dossier qui se fossilise au fond de mon tiroir. Quelques feuillets disparates, la photo d'un bouc en soutane afghane et une chasse aux sorcières qui menace de ne plus s'arrêter.

Je regarde le gourou sur la photo : vingt-huit ans. Jamais à l'école. Jamais de boulot. Des pérégrinations messianiques à travers l'Asie, des prêches d'une virulence absolue et une haine implacable à l'encontre du monde entier. Et le voici qui s'érige en redresseur de torts : trente-quatre assassinats, deux tomes de fetwa, un harem dans chaque maquis et un sceptre à chaque doigt.

Décidément, l'Enfer ne brûle que par les flammes des illuminés.

J'ai connu un petit dealer. Un merdeux tout en répugnance, aussi à l'aise dans le péché capital qu'un morpion dans une culotte de hippy. Aujourd'hui il a un fusil à canon scié, un verset sur le bout des lèvres et il se venge allégrement de ceux qui lui mettaient le grappin dessus.

N'en déplaise aux imams révérés, si ce fumier échouait au paradis, moi, je me ferais châtrer par un plombier.

Pourtant, auprès de la plèbe, il passe pour un martyr. Depuis que le terrorisme a mis la religion aux premières loges de la sédition, les petites gens ne savent où donner de la tête. Tout ce qui a une connotation islamiste les déroute. Ataviques, ils subissent la tragédie avec philosophie et s'abstiennent de s'attarder dessus. « Après moi, le déluge », s'en foutait le dicton ancestral. Et il n'y a pas pire solitude que celle du naufragé.

Un jour, peut-être, je pourrai vadrouiller dans les boulevards de ma ville en toute quiétude. La nuit aura, pour mon sommeil, d'attendrissantes confidences. J'aurai des gosses autour de ma bedaine, et les lunettes de soleil sur la gueule pour me croire en croisière. Je pourrai me permettre d'aller au théâtre rire de mes propres déconvenues, ou bien chercher mon lait chez le boutiquier du coin sans craindre les badauds. Seulement, je ne pense pas regarder mes compatriotes avec les yeux d'antan. Quelque chose aura rompu les amarres de mon port d'attache. Je n'aurai pas de rancune — pas assez de place dans mon chagrin — mais toutes les minauderies des drôlesses ne sauraient me réconcilier avec ceux que j'estime être aujourd'hui mes fossoyeurs potentiels.

Je n'aurai pour mes amis qu'un sentiment mitigé, et mes voisins de palier me seront aussi peu familiers que les Indiens du Wyoming.

Les survivants de cette saloperie de guerre gueuseront dans mon esprit, pareils à ces fantômes que les tombes conjurent et que les maisons renient, et resteront suspendus entre ciel et terre, trop coupables pour se rapprocher de Dieu et trop compromettants pour se joindre aux hommes.

Plus rien ne sera comme avant. Les chansons qui m'emballaient ne m'atteindront plus. La brise musardant dans les échancrures de la nuit ne bercera plus mes rêveries. Rien n'égaiera l'éclaircie de mes rares instants d'oubli car jamais plus je ne serai un homme heureux après ce que j'ai vu.

Je suis en train de ruminer mon foin amer quand le planton revient me rappeler l'impatience du patron.

Avec la délicatesse d'un éléphant conscient de sa mort prochaine, j'arrache mes fesses à l'étreinte de mon siège et me tape les soixante-huit marches de l'escalier — l'ascenseur étant réservé à l'usage strictement personnel du boss — jusqu'au troisième étage, relançant ainsi mes rhumatismes.

Le patron se répand derrière son bureau. Dans le luxe ambiant, il a l'air d'un monument. Mais quand on le regarde de près, c'est juste une énormité foraine qui s'est trompée de chapiteau.

Il ne fait pas attention à mon salut réglementaire. Sans mot dire, il pousse dans ma direction un bout de papier :

— Je n'ai pas le temps de m'occuper de ça, m'annonce-t-il avant de se remettre à se limer les ongles.

— Qu'est-ce que c'est ?

— Le gendre de monsieur Ghoul Malek...

— L'ex-star de la République ?... On l'a descendu ?

Il sursaute, outré, m'explique :

— Il inaugure sa nouvelle résidence.

— Et il s'adresse à la Criminelle pour ça ?

— C'est une invitation. Je ne peux pas y aller. J'ai des empêchements.

Comme je ne le suis pas, il éclaire ma lanterne :

— Tu me représenteras.

— J'ai du boulot, moi aussi, protesté-je sur le point de dégueuler à l'idée de flirter avec cette pourriture galante, née d'un parjure, et que je déteste comme c'est rarement possible.

— C'est un ordre !

Sur ce il fait pivoter son siège pour me présenter son dos, large comme le mur de Berlin. Je le

20

conçois ainsi dans l'espoir de le voir tomber, lui aussi, mais je reste persuadé que le miracle n'est permis qu'aux bons chrétiens.

2

J'ai passé une heure à farfouiller dans mes archives vestimentaires pour dénicher une cravate clownesque d'avant la nationalisation des hydrocarbures.

Mina me contemple dans la glace. De temps à autre, elle rabat une boucle mutine dans ma toison, chasse d'une chiquenaude un grain de poussière sur ma veste, tendre, attentionnée, trop amoureuse pour me trouver l'air du péquenot affranchi que j'incarne pourtant avec beaucoup d'authenticité.

— Ça te rajeunit.

Probable : c'est un costume que je portais du temps où le régime nous sortait des révolutions à tout bout de champ avec l'adresse épatante d'un prestidigitateur. À cette époque, le tergal bon marché faisait socialiste conformiste et les démagogues l'appréciaient même lorsque leur alpaga étincelant frisait l'hérésie.

Je saute dans ma guimbarde et fonce sur Hydra, le plus chic quartier de la ville.

Hydra, par les temps qui concourent, rappelle une

cité interdite. Jamais barbe d'intégriste n'a effleuré ses mimosas, jamais odeur de poudre n'a faussé les senteurs de sa félicité. Les nababs du bled y vivent en rentiers, la panse bien garnie, l'œil rivé sur le trip des cupidités.

Les guerres d'Algérie ont cette insondable singularité qui fait que les belligérants se trompent grossièrement d'ennemis.

Sur sa fiche de paie de fonctionnaire virtuel, le gendre de monsieur Ghoul Malek a juste de quoi se nourrir de sandwiches et s'acheter une douzaine de slips par plan quinquennal. Pourtant, sa nouvelle demeure n'a rien à envier au Club Med : plus de trois mille mètres carrés pavoisés de lampions, de guirlandes, de ballons obèses comme des montgolfières. Il y a même un parking spécialement aménagé pour la circonstance. Des bagnoles haut de gamme scintillent à perte de vue. Je range ma roturière Zastava entre deux Mercedes. En mettant pied à terre, j'ai l'impression que mon tombereau a rétréci.

Deux malabars viennent s'assurer que je ne débarque pas du Lesotho. Ils vérifient sur leur liste et sont navrés de constater que je figure dessus.

Je reste un chouia à admirer le palais du pistonné : un rez-de-chaussée à faire saliver un émir du Koweit, deux étages à me faire crever plutôt deux fois qu'une. Que de marbre d'outre-mer, que de provocations assassines !

J'observe une minute de silence à la mémoire

des serments maquisards, des martyrs du savoir et de mes idéaux. Ensuite, avec le courage des fuites en avant, je gravis un perron hollywoodien tel un supplicié l'échafaud.

Un guignol qui se fait passer pour un major-dome d'importation m'accueille comme on écope d'une contravention de bon matin. Ses sourcils manquent de se décrocher devant mon accoutre-ment.

— Les domestiques, c'est de l'autre côté, me décrète-t-il hiératique.

— Alors, qu'est-ce que tu fous par ici ?

Voyant que je m'entête, il tape dans ses mains d'un geste mystique. Trois gaillards laids et mé-chants rappliquent, le crâne blindé, la mâchoire à intimider un pare-chocs de half-track.

— Commissaire Llob, m'empressé-je de frei-ner leurs impulsions.

Ça choque le majordome qui geint, profondé-ment consterné :

— Pauvre Algérie !

Le salon est presque aussi vaste que mon fiel. Mon ulcère se découvre spontanément une ten-dance extensive. Il y a beaucoup de monde. Cha-cun porte son standing comme, naguère, son palefrenier de père la selle de son maître. Je m'évertue à les comparer à des pingouins, sanglés comme ils sont dans leur smoking austère, mais je n'y arrive pas. Ils sont si beaux, si élégants, si heu-reux. Il n'y a pas de doute, le monde leur appartient ; le soleil ne se lève que pour eux. La guerre qui ravage le pays n'a pas assez de cran pour se hasarder jusqu'à leur fief. Pour eux, c'est juste de la subversion.

Au milieu des convives, je reconnais plusieurs gros bonnets, le milliardaire Dahmane Faïd, des députés, Sid Lankabout l'écrivain, des dames parées comme des arbres de Noël, de jeunes nanas à redresser le pédoncule à un vieux melon… Et moi, dans tout ça, j'ai l'air d'une punaise sur un tapis volant.

J'ai beau me répéter qu'au moins je suis honnête, que ma conscience est peinarde, qu'il n'y a pas de sang sur mes économies ; rien à faire : aussi intègre, aussi sain que je sois, à côté de ces gens-là, je ne mérite pas plus d'égards qu'un paillasson.

Assorti d'une ribambelle d'Adonis, Sid Lankabout cesse de se pavaner en me repérant. « Il ne manquait plus que ça », lis-je sur ses lèvres.

— Tiens, tiens, roucoule un gosier dans mon dos, n'est-ce pas notre cher commissaire ?

Je pivote. C'est Haj Garne. Son sourire de faux dévot me remue les tripes.

Haj Garne est l'un des plus dangereux flibustiers des eaux troubles territoriales. Sodomite notoire, un tuyau d'échappement lui donnerait des idées. La légende raconte que notre éminent tributaire des sciences anales s'envoie tout ce qui bouge sauf les aiguilles d'une montre, tout ce qui se tient debout sauf les balises et tout ce qui se touche sauf les procès-verbaux.

Instinctivement, sa patte visqueuse me caresse le poignet avant de menacer le bas de mon dos. Je recule, prudent. Mon âge et mes flaccidités ne me mettraient jamais assez à l'abri des usages controversés.

— Toujours aussi grassouillet, poulet de rôtisserie ?

— C'est nerveux.

Il passe ses doigts sur ses moustaches scélérates, s'attarde sur mon déguisement de paysan endimanché, s'attriste :

— Ton honnêteté ne t'a pas avancé à grand-chose, commissaire chéri. J'espère qu'il t'arrive de joindre les deux bouts.

— Ça m'arrive.

Il ricane.

De nouveau il fixe ma vieille veste, mon pantalon fripé, mes chaussures tordues :

— Ton problème, Llob, c'est la stagnation. Tu es resté le même épouvantail qu'il y a trente ans. C'est navrant. Quand vas-tu apprendre à voir loin ?

— Je n'ai pas le nez assez long.

Il branle la tête, déporte les lèvres sur le côté et grogne :

— Tu ne peux pas savoir l'enculé que tu fais, vieux. Un jour tu n'oseras même pas t'affronter dans une glace. On ne crache pas sur un train qui passe. On risque de recevoir sa propre salive sur la figure.

Il s'éloigne.

Une sorte de duchesse me remarque, me fait une petite virgule de la main. Je me retourne pour voir s'il n'y a pas quelqu'un d'autre. La duchesse fait non du bout du nez, me montre du doigt avec insistance. Ensuite, elle déferle sur moi sa carcasse de cachalot en me tendant sa nageoire :

— Oh ! jouit-elle en se déhanchant comme un serpent, commissaire Llob, enfin, là devant moi, en chair et en os. Ce qu'il me tardait de vous rencontrer ! Savez-vous que vous êtes mon romancier préféré ?

— Je ne le savais pas.

— Mais si, mais si. Vous êtes le meilleur. Vous avez énormément de talent.

— C'est parce que je n'ai pas assez d'argent...

— Ce n'est pas vrai. Ça n'a rien à voir. (Elle recule pour me dévisager.) Vous en faites une tête !

— Faudrait d'abord que j'en aie une.

Elle rejette la tête dans un rire si grand qu'on peut déceler les motifs de sa culotte puis, attendrie par ma mine d'envieux frustré, elle me prend le bras et le serre très fort contre ses mamelles :

— Écoutez, commissaire. Je compte organiser un gala, chez moi, pour lancer mon association caritative. Je serais ravie de vous recevoir parmi mes amis.

— C'est très aimable à vous, madame...

— Lankabout, Fatima Lankabout, l'épouse de Sid. Les intimes m'appellent « Fa », comme la marque de cosmétiques. Encore une chose, commissaire. Je vous prie d'excuser mon indiscrétion, les femmes, c'est comme ça, mais franchement, êtes-vous autodidacte ?

— Seulement autochtone.

Elle me dévore des yeux. Il n'y a pas de doute, je la fascine. Mais plutôt profaner un mausolée que lui montrer la partie cachée de l'iceberg.

Je la gratifie d'un sourire chaste et me hâte de me dissoudre dans la faune privilégiée.

Le gendre de Ghoul Malek me tombe dessus avec la voracité d'un fourmilion :

— Tu es quand même venu, exulte-t-il. Ton patron était sceptique, mais j'étais sûr que tu allais rappliquer. Tu as peut-être des principes, mais pas de laisse à ta curiosité.

— Séquelle professionnelle.

— Alors, me montre-t-il son empire, qu'en penses-tu ? Il te plaît, mon ghetto ?

— Faut surtout pas te gêner. Au pays de l'impunité, les requins se doivent de mettre les bouchées doubles.

Il rit, m'attrape par le coude et m'entraîne dans son sillage.

— Viens, je vais te présenter à des amis. Il se pourrait qu'il y ait parmi eux un teinturier bénévole.

Le temps de rajuster mon turban, et déjà il

m'exhibe tel un trophée surréaliste devant une bande de prévaricateurs extrêmement fiers de leur embonpoint.

— Messieurs, j'ai le plaisir de vous présenter le flic le plus génial du pays.

C'est à peine s'il m'ont effleuré des yeux, les néo-beys d'Alger.

Mon vénéré père disait qu'il n'y a pas pire tyran qu'un montreur d'ânes devenu sultan.

Bergers hier, dignitaires aujourd'hui, les notables de mon pays ont amassé de colossales fortunes, mais ils ne réussiront jamais à dissocier le peuple du cheptel.

Le plus grand se détourne et maugrée :

— C'est ça, ton San Antonio ?

Le plus trapu laisse entrevoir un rictus méprisant et me demande :

— Comment faites-vous pour garder le sourire par-dessus une cravate aussi désespérante, commissaire ?

— Il me suffit de vous observer.

L'altesse n'apprécie pas.

— Attention, vous vous adressez à un député, m'avertit-il.

Je le toise positivement. S'il pense bénéficier de son immunité d'andouille parlementaire avec bibi, c'est qu'il est vachement optimiste.

Mon hôte me bouscule dans un coin et me fait la leçon :

— Mollo, Llob, mes invités ont le bras long.

— Je me disais bien qu'ils avaient des choses en commun avec les chimpanzés.

— Crétin! Je te donne l'occasion de te faire des relations solides, et tu te conduis…

— J'ai un ulcère, l'interromps-je.

— Et alors?

— Mon toubib m'a déconseillé de manger de ce pain.

— Tu préfères le noir?

— Tout à fait.

— Ben, restes-y.

Sur ce, il prend un maire véreux [1] et me largue.

Je ne suis pas dans mon assiette. J'essaie de m'acclimater, ce n'est pas facile. L'univers féerique que baigne la musique et que grignote çà et là le rire langoureux de quelques pouffiasses éméchées, les superbes bagnoles vautrées dans le parc semblables aux vaches sacrées, le faste et l'incommensurable fatuité des grosses légumes, la lune pleine dans le ciel azuré, le froufrou béatifiant des fortunes, tout en cet endroit me fait vomir.

L'Algérie que je connais, ce n'est pas ça.

Dans mon pays à moi, les cimetières ne désemplissent pas de larmes et de sang, les braves rasent les murs pour se préserver du mauvais œil… Et ici, dans ce Taj Mahal pour eunuques revanchards, tout baigne dans l'huile. Point de pépin, pas le moindre sentiment d'insécurité. Les

1. Excusez le pléonasme. C'est plus fort que moi.

pirates de ma patrie se sont confectionné un microcosme étanche et désinfecté, et jamais mâts de cocagne ne m'ont semblé plus imposants que les monuments qu'en ces lieux de prospérité.

Je ramasse mes complexes de dupe, grimpe dans ma charrette, fais exprès de heurter l'aile d'une grosse cylindrée — malheureusement c'est ma Zastava qui trinque — et file cahin-caha vers les hauteurs de la ville en quête d'une bouffée d'air, certes vicié, mais moins contaminé.

3

Je suis dans mon fauteuil avachi et je regarde l'aube prendre son temps pour se lever. Les coups de feu et les sirènes n'ont pas arrêté de s'invectiver de toute la nuit. Des flammes ont ingurgité un dépôt sur les hauteurs du quartier. Une bombe a pété derrière la colline. Ensuite, il y a eu ce sacré courant d'air qui taquine les esprits frappeurs de mon immeuble et qui m'oblige à rester aux aguets jusqu'au matin.

De ma fenêtre, je peux voir la misère urticante de la casbah, sa noirceur de rinçure et au bout la Méditerranée. Il fut un temps où, de mon mirador de patriote zélé, il me semblait que la noblesse naissait de ces gourbis meurtris par la guerre et les déconvenues, que mes ruelles aux configurations de parchemin détenaient l'essence de la vaillance. C'était le temps où Alger avait la blancheur des colombes et des ingénuités, où, dans les prunelles de nos mioches, les horizons de la terre venaient se refaire une virginité. C'était le temps des slogans, du chauvinisme ; le temps où le Mensonge, mieux qu'un pépé mythique, savait nous conter fleurette tandis que se couchait le soir sur une journée consternante de nullité.

Aujourd'hui, de sous les décombres des abus, la Nation retrousse ses robes sur des avortons terrifiants, et mon havre de fierté supplante en laideur la plus horrible des barbaries.

Désormais, dans mon pays, à quelques brasses de non-retour, il y a des gosses que l'on mitraille simplement parce qu'ils vont à l'école, et des filles que l'on décapite parce qu'il faut bien faire peur aux autres.

Désormais, dans mon pays, à quelques prières du bon Dieu, il y a des jours qui se lèvent uniquement pour s'en aller, et des nuits qui ne sont noires que pour s'identifier à nos consciences…

Mais que peut-on attendre d'un système qui, au lendemain de son indépendance, s'est dépêché de violer la veuve de ses propres martyrs ?

Mina se trémousse sous la couverture. Sa voix de madone m'atteint dans un souffle ensommeillé :

— Viens te coucher.

— Il est six heures.

Elle se hisse sur un coude, coule vers moi un regard désemparé :

— Tu m'inquiètes.

— Tu as raison de t'inquiéter. J'ai pas pris d'assurance-vie.

Je suis conscient de ma méchanceté.

Je n'y peux rien.

Je sais que je risque ma peau tous les jours et ça me fait chier.

Lino m'intercepte sur le seuil du commissariat. Il y a une toile d'araignée sur le verre droit de ses lunettes.

— J'ai marché dessus, avoue-t-il pour susciter ma compassion.

— Ça prouve que tu tiens sur tes jambes.

De son doigt abîmé par le stress, il m'indique le salon d'accueil :

— Aït Méziane t'attend depuis une plombe.

— Le grand comique ? m'enthousiasmé-je.

L'Aït Méziane qui se morfond au salon n'a rien à voir avec le saltimbanque qui absorbait, à lui seul, tous les feux de la rampe. Loque pitoyable aussi décontenancée que son ombre, il a la nuit sur la figure.

Il fixe la pointe de ses souliers, les doigts tressés dans une étreinte inextricable.

— Qu'est-ce qui te met dans cet état ? fais-je, histoire de le dégourdir.

Il me tend une enveloppe. Sans mot dire.

C'est une lettre de menaces, signée Abou Kalybse. Elle somme l'artiste de ne pas traîner ses guêtres du côté du théâtre, d'arrêter de fréquenter ces « suppôts de Satan » d'intellectuels et de verser au muphti, en guise de contribution, la modeste somme de cent mille dinars.

Je m'assois en face de lui, essaie maladroitement :

— C'est sûrement un plaisantin.

Méziane esquisse un sourire dérisoire :

— Tu trouves qu'on s'amuse chez nous ?

Je suis embarrassé. Les gens dans sa situation sont légion. Au début, on leur affectait des flics discrets pour surveiller les parages puis, la demande devenant de plus en plus importante, et nos pertes de plus en plus cuisantes, chacun essaie de se démerder de son côté et de ne compter que sur la baraka du doyen de la tribu et sur la maladresse des bourreaux.

— Tu me connais, Llob. Nous avons été mômes ensemble, usé le fond de nos culottes sur les mêmes trottoirs. Je ne suis pas du genre à déclencher la sirène d'alarme dès qu'une puce se manifeste sur mon oreiller. Mais cette fois, j'ai le sentiment que mon sourire risque de se rabattre de cinq doigts.

Je dodeline de la tête, incapable de trouver un mot réconfortant.

— Je ne fais pas de politique. Je n'entretiens

pas de polémique. Je ne milite que pour le rire, Llob. Mon unique souci est de détendre, de divertir…

— Ne te cherche surtout pas d'attitude répréhensible, Aït. Ce n'est pas ce qui *les* motive.

— Que dois-je faire ? s'impatiente-t-il. Ma valise ou bien ma prière ?

— Ne cédons pas à la panique. Il y a sûrement un moyen. Tu as des amis à Oran, ou bien à Constantine. Fais-toi oublier quelque temps et attendons de voir passer l'orage.

— Ils me trouveront… et me tueront.

— File en…

— Non, s'écrie-t-il. Ne me demande pas de m'exiler en Europe. C'est vrai, ils sont bien, les gens de l'autre rive, mais je suis incapable de végéter à plus de vingt kilomètres de mes HLM… D'ailleurs, je ne sais pas pourquoi je suis venu t'importuner, débordé comme tu es.

Il se lève. Comme un rideau sur des planches honnies. Les coulisses de son âme écorchée me paraissent d'un coup aussi opaques que les abysses.

J'ai honte de le voir s'en aller ainsi, déçu et perdu, tel un espoir qui s'effiloche à l'heure où se fossilisent les consciences.

Quand Ghoul Malek m'a ordonné de passer le voir au 13 rue des Pyramides, j'étais à deux doigts de me noyer dans mon verre.

Membre influent de l'ancienne nomenklature, Malek a été un big brother particulièrement redouté au temps du parti unique. Lorsqu'il passait à la télé, c'est à peine si on ne se barricadait pas derrière les rideaux. Il était dans ses prérogatives d'exécuter sommairement les « brebis galeuses », de modifier les lois, de faire avorter femmes et projets de société ; bref, il faisait le jour et la nuit.

Depuis l'hystérie d'octobre 1988, il fait croire qu'il s'est retiré de la compétition. En réalité, il continue de tirer les ficelles à partir de sa majestueuse propriété d'Hydra, et même s'il ne se montre plus sur le petit écran, sa réputation de croquemitaine hante encore les esprits.

Aussi lorsque sa voix a retenti au bout du fil — sauf votre respect — quelque chose s'est refroidi dans mon caleçon.

J'arrive au 13 rue des Pyramides un peu avant vingt-deux heures. Il pleut rageusement. Des éclairs un tantinet schizo jettent leur anathème sur un Hydra souverainement impassible.

J'engage ma trottinette sur le cailloutis d'une allée bordée de conifères et roule environ cent mètres avant d'atteindre le palais.

Il me faut un temps fou pour localiser le carillon au milieu des boutons qui ornent le tableau de bord de l'entrée.

La porte s'écarte sur un gorille albinos.

— Commissaire L…

— Essuyez vos chaussures sur le paillasson !

Le ton est autoritaire, renversant d'inimitié.

Calmement, j'essuie mes savates sur le paillasson. Au moment où j'entreprends de me débarrasser de mon manteau, le gorille m'en empêche dare-dare :

— Vous pouvez le garder, monsieur. L'entretien ne sera pas long.

— Je l'espère, Blanche-Neige, je l'espère.

Mon sang d'erguez vire à la nitroglycérine. Ça n'impressionne pas l'animal qui, après une œillade réductrice, s'éloigne vers une porte capitonnée.

Je me relaxe en m'intéressant au luxe qui me cerne tel un carcan, remarque une statuette africaine, vais la contempler de plus près.

— Attention à l'alarme, claque une voix derrière moi.

Monsieur Ghoul Malek est debout au milieu du hall, éléphantesque. Il ressemble à Orson Welles — sans son talent s'entend. Il porte une vaste robe de chambre écarlate et un cigare entre les doigts que meuble une bague grosse comme un coquillage.

J'ébauche un sourire purement professionnel et tend une main qui restera honteusement suspendue dans le vide.

L'ancien manitou me contourne, vient se pencher sur la statuette.

— Vous êtes parti trop vite, l'autre soir, de chez mon gendre.

— Ma cravate m'indisposait, monsieur.

Il fait hum puis, parlant de la statuette :

— Je ne comprendrai jamais pourquoi une vétusté pareille coûte les yeux de la tête.

— Dérapage des fortunes, je présume.

Il a tiqué mais il le cache bien.

— Vous comprenez quelque chose aux arts plastiques, commissaire ?

— Il m'arrive de faire la différence entre Salvador Dali et un peintre en bâtiment.

Il hoche la tête.

— On dit que vous êtes pieux, monsieur Llob.

— Ça a du bon.

— Islamiste ?

— Musulman.

— Tiens, tiens…

— Monsieur, il est plus de vingt-deux heures et je voudrais rentrer chez moi avant le couvre-feu.

Tranquillement, il se retourne, me dévisage :

— On dit aussi que vous êtes un fin limier.

— Ça prouve qu'on parle trop.

Il me plaque brusquement une photo sous les naseaux :

— Ma fille, Sabrine.

— Elle est jolie.

— Elle a disparu.

Je dodeline de la tête. Sans raison. Probablement par habitude unipartiste.

— Il lui arrive de fuguer ?

— Elle n'avait aucune raison de le faire.

— Je vois. Elle a disparu depuis ?…

— Trois ou quatre semaines.

— Elle n'est pas chez des amis, des parents ?

— Commissaire, se fatigue-t-il déjà, je vous ai choisi parce que je ne tiens pas à ce que cette histoire s'ébruite, et d'un. De deux, ma fille ne s'absente jamais sans laisser ses coordonnées. Elle sait se servir d'un téléphone aussi.

— Je crois…

— Merci, commissaire, vous pouvez disposer.

Le gorille enfariné est aussitôt là pour me raccompagner.

— Je suis désolé, ce n'est pas avec une photo…

— C'est suffisant quand on est fin limier. Bonsoir.

Pachyderme indolent, il disparaît derrière la porte capitonnée.

— Suivez-moi, m'éructe l'albinos dans le creux de la nuque.

Je le suis. Docile. Une fois sur le seuil, je tire un billet de dix dinars et le lui glisse dans la poche :

— Achète-toi un air moins barbant, monsieur le yeti.

Imperturbable, l'albinos retire le billet et me le fourre dans la bouche. Je n'ai pas le temps de le rattraper : la porte me claque au nez.

4

Les Limbes rouges sont un cabaret tapi au coin de la rue des Lauriers-roses. Fréquenté par la tchi-tchi algéroise, il propose un comptoir étincelant, une large piste de danse, des tables joliment décorées et des recoins d'une discrétion parfaite. On y sert des liqueurs d'importation, du faisan truffé et, si vous aimez la langueur des paradis artificiels, des joints à vous relâcher le nombril pour longtemps. Comme c'est une chasse gardée, on y rencontre de hauts fonctionnaires amateurs de puceaux — raison pour laquelle on perçoit une subreptice odeur de vaseline dans l'air —, des dames à la chatte frémissante et un tas de personnages intéressants. Le menu est copieux, et l'addition faramineuse pour faire intimiste. Si vous n'êtes pas blanc de col et de patte, aucune chance d'être admis.

Un gigolo en muscles dopés monte la garde devant l'entrée. Dès qu'il me repère il manque de tourner de l'œil tellement je parais insolite dans les parages :

— Hé ! le maquignon, aboie-t-il. Le marché à bestiaux, c'est de l'autre côté de la ville.

Je ne fais pas attention à ses jappements, le repousse et pénètre dans l'antre des incubes. Des larbins s'activent dans tous les sens. En silence.

C'est beau. Sur les murs veloutés, des tableaux pornographiques, de petites lampes aux contours phalliques ; très stimulant.

Une femme presque nue émerge d'un rideau, le visage aride et le chignon sévère. Elle déploie ses charmes de vipère jusqu'à mes pieds. Mon starter ombilical s'étant grippé depuis belle lurette, son sourire ne m'émeut aucunement.

— Que puis-je pour vous ? siffle-t-elle à bout portant.

— Pour moi, pas grand-chose, mais pour elle (je lui montre la photo de Sabrine), c'est pas de refus. Paraît qu'elle fréquente la boîte.

— Elle n'est pas la seule.

— Vous la reconnaissez ?

— Je devrais ?…

— Elle n'est pas rentrée à la maison.

— Il n'est pas dans nos attributions de raccompagner nos clients chez eux. C'est tout, inspecteur ?

— Commissaire… Commissaire Llob.

Ma gloire ne l'interpelle pas, l'inculte.

— Excusez-moi. L'ouverture est dans moins de trois heures et j'ai deux équipes à installer.

Sans attendre ma permission, elle retourne dans son rideau.

— Maintenant, foutez le camp, et que ça saute ! maugrée le gigolo aux muscles dopés.

Et il me bouscule carrément vers la sortie. À mon âge !

— Alors ? s'enquiert Lino en mettant en marche le moteur de la voiture de service.

— Autant chercher un boucher honnête au mois de ramadan.

— Qu'est-ce qu'on fait ?

— D'après toi ?

Le Cinq Étoiles est un hôtel flambant neuf. Tout en baies vitrées teintées. Avec ses onze étages surplombant la colline et la ville, il ressemble à un mausolée futuriste. On raconte qu'au départ, était prévu un hôpital et qu'arrivées au sixième étage les bonnes intentions manquèrent de souffle. Des types haut placés s'en sont mêlés. Avant le neuvième étage, les documents ont radicalement changé et de contenu et de mains si bien qu'à l'inauguration, au lieu de l'hymne national, les convives eurent droit à une épatante soirée « raï ».

Résultat : le petit peuple continue de crever dans d'invraisemblables dispensaires-porcheries... Bah ! à quoi ça m'avance de la ramener, moi, un poulet de rôtisserie, une grande gueule dans une tête d'épingle dont le seul statut qui lui sied est celui des cibles en carton.

Poitrine transcendante et frimousse splendide, mademoiselle Anissa est un beau brin de rêve. Son regard ne sait pas décrocher quand on l'assiège. Et son sourire simple comme bonjour ferait courir un cul-de-jatte plus vite que la sirène du couvre-feu.

Elle nous reçoit dans sa suite gracieusement cédée par un administrateur philanthrope et pro-

jeunesse comme cette bonne vieille Algérie sait en avorter.

— Oui ? gazouille-t-elle en s'asseyant généreusement sur un canapé.

— Elle manque à l'appel.

— Qui ?

— Sabrine Malek.

— Je suis au courant. Le chauffeur de son père est passé me voir, il y a quelques jours.

— Il voulait quoi ?

— Il la croyait mon amie.

— Ce n'était pas ton amie ?

— Mes clients me suffisent.

Lino griffonne quelque chose sur son calepin. Il prétend que ça fait sérieux.

— Tu connais le papa de Sabrine ?

— Il a un chauffeur albinos qui roule en Mercedes.

— C'est tout ?

— C'est tout.

Je regarde Lino et Lino regarde son calepin.

— C'est quoi au juste, ton métier ?

— Le plus vieux du monde.

Ça fait redresser les oreilles du lieutenant, mais suffisamment pour lui relever la tête.

— Sabrine exerçait la profession ?

— Je ne pense pas. C'est la fille gâtée. Elle adore emmerder son monde. Je suis sûre qu'elle est juste dans les parages pour voir les gens se défoncer. C'est quelqu'un d'instable, Sabrine.

Puis elle arrête son regard de poupée gonflable sur une horloge murale et minaude :

— Je suis en retard, commissaire. Il faut que je touche à ma toilette. Ce soir il va y avoir du monde et il faut que je me dépêche pour être aux premières loges.

— Tu l'as vue quand, pour la dernière fois ?

— Difficile de me rappeler, dit-elle en se levant. Pourquoi ne pas vous adresser aux Limbes rouges ?

— La patronne prétend qu'elle ne se souvient pas d'elle.

— C'est bizarre. Je les croyais sœurs siamoises.

Nous retournons, Lino et moi, rue des Lauriers-roses. La patronne manque d'avaler son dentier quand je la surprends en train de se changer, un fil entre les fesses et les nichons à l'air.

— Ce n'est pas un moulin, ici, proteste-t-elle.

— Puisque c'est un bordel.

— Je vous en prie, commissaire, un peu de tenue.

— Je ne vous le fais pas dire.

Le médor de service tente de me tirer l'oreille. Je le feinte de mon gauche et lui shoote dans les malodorantes. Éberluée par ma procédure d'urgence, la pouffiasse de luxe ouvre la bouche comme pour accueillir le cinquième membre d'un canasson.

— Que voulez-vous, à la fin ?

— Poursuivre mon enquête.

— Vous avez un mandat ?

— Seulement un chèque sans provision.

Elle s'énerve, s'empare du téléphone et forme un numéro familier.

— Eh ! Là c'est la poulaga que vous appelez.

— Mieux, commissaire : j'appelle votre directeur.

Rien que ça !

Je n'insiste pas.

Le temps d'assener un autre 43 au gigolo — pour me prouver que je ne suis pas le dernier des derniers — et je bats en retraite presto.

L'après-midi Ghoul Malek me joint au bout du fil. Il est en rogne. Un moment, je me suis attendu à voir sa main surgir du combiné pour me prendre à la gorge. Lino qui me regardait supplanter le caméléon a tout de suite pensé que je faisais un infarctus.

— Ça va pas, commy ?

De ma main libre je le somme de la boucler tandis que je hoche la tête, obséquieusement, en égrenant un interminable chapelet de « bien m'sieur… »

— Je veux vous voir dans trente minutes chez moi, tonne l'ex-divinité.

— Bien m'sieur… Tout de suite, m'sieur… Je suis déjà en route m'sieur…

Le gorille albinos nous ouvre. Notre vue le contrarie.

Décidément !

D'une main blasée, il décroche un micro et annonce :

— Le commissaire Llob, monsieur. Il n'est pas seul… Bien, monsieur.

Il raccroche le micro et m'indique un couloir.

— Tout droit.

Je passe. Lino, lui, n'a pas de chance. Au moment où il s'apprête à franchir l'embrasure, l'albinos le catapulte en arrière :

— Pas toi, le lacet. Seulement la baudruche.

J'arme mon gauche, mais mon culot n'a pas de suite dans les idées.

Lino est triste. On dirait un môme à qui l'on refuse l'accès au cinoche.

— Il peut très bien attendre au salon, protesté-je.

— Il est désinfecté ?

— Quoi ?

— Dans ce cas, il attendra dehors.

Et il s'éclipse.

J'entends geindre Lino derrière la porte. Pauvre chiot ! il me fend l'âme.

Ghoul Malek se délasse sur une chaise en osier, au bord d'une piscine en forme de trèfle. Sa grosse bedaine de suceur de sang populaire se déverse sur ses genoux. En m'entendant traîner la savate sur les dalles de l'allée, il se camoufle derrière des lunettes de soleil et porte un cigare cubain à sa bouche d'égout.

— Désolé pour votre compagnon, je n'ai pas demandé à le voir.

— C'est mon coéquipier, un officier de police !

L'octave hardie dans ma bouderie lui déplaît. De toute évidence, il n'est pas dans ses habitudes de tolérer les remarques désobligeantes. Il retire ses lunettes et m'expédie un regard si significatif que je sens mes vieilles fesses dégouliner.

— Il va falloir vous foutre la tête dans un frigo, commissaire.

— Pourquoi, monsieur ?

— Pour vous rafraîchir la mémoire. Je vous rappelle que j'ai exigé la plus totale discrétion.

— C'est mon lieutenant.

— Débarrassez-vous de lui.

Après un silence mortel, il barrit :

— Encore une mise au point : ne vous avisez plus de retourner aux Limbes rouges. C'est sélectif et réservé. De toute façon, mes hommes ont essayé cette piste et ils n'ont débouché sur rien. Ne cherchez pas du côté de ma famille, non plus. J'ai un frère envieux, des cousins lésés, et Sabrine ignore jusqu'à leur existence.

— Il ne me reste plus qu'à solliciter le bon vouloir d'une cartomancienne, monsieur.

— C'est votre problème.

— Votre fille court-elle un quelconque danger ?

Ses traits se regroupent autour d'une grimace outrée :

— C'est quoi, le danger, commissaire ?

Il remet ses lunettes et m'ignore.

L'entretien est clos.

L'albinos me reconduit quasiment *manu militari*. Une fois sur le perron, je lui montre son veston. Il se laisse prendre à ce jeu séculaire pour nigauds, baisse la tête pour voir de quoi il retourne ; j'en profite pour le redresser d'une chiquenaude sur le pif. Au lieu de se montrer fair-play, le salaud me balance son droit dans ma prothèse et m'envoie pirouetter sur les marches.

Lino accourt pour me relever.

L'albinos nous toise un instant avant de refermer la porte.

— Il m'a eu par traîtrise, j'explique à Lino.

— C'est ça, compatit le subordonné.

— Un jour, c'est promis, je lui foutrai mon 43 au cul, à ce zébu laiteux.

Lino consent à opiner du chef. Sans conviction.

5

Bliss Nahs est un peu le sismographe de la boîte. Quand il se tourne les pouces derrière son bureau, c'est bon signe : on peut siroter son thé sans problème. En revanche, lorsqu'il écume les autres services, une fesse sur un coin de table et la bouche crachotante d'anecdotes sinistres, ça signifie qu'un sortilège en est jeté.

Ce type est un moustique : ça ne s'apprivoise pas. À défaut d'être bon à quelque chose, à l'instar du malheur, il excelle à rabattre les joies.

Je soupçonne le directeur de me l'avoir affecté uniquement pour m'avoir à l'œil. Depuis qu'il traîne son mauvais augure dans mon sillage, je ne peux plus tirer la chasse d'eau sans que la hiérarchie ne soit au courant.

Ce matin, il est en transe, raison pour laquelle je me dépêche de cracher sous ma chemise pour détourner les influences maléfiques.

Lino feint de ranger ses tiroirs dans l'intention manifeste d'éviter les éclaboussures du mauvais sort. Fataliste incurable, l'inspecteur Serdj marmotte des incantations. Baya la secrétaire est en état de choc ; elle vient de s'apercevoir que son miroir de poche s'est fissuré.

— Commissaire, ulule Bliss, tu vas pas croire…

J'agite ma main devant ma figure à cause de l'haleine du diseur-de-sinistrose.

— Pas le temps !

Son enthousiasme s'éteint aussitôt :

— J'suis pas un pestiféré, bordel ! J'ai de l'amour-propre.

— Essaie une autre lessive, vieux, parce que c'est pas bien nettoyé.

— J'ai droit aux mêmes égards que mes autres

48

collègues. C'est pas juste de me traiter de la sorte. On est en guerre, putain ! on doit se serrer les coudes.

Et il regagne sa niche, pareil à la brume lorsque s'enhardit l'éclaircie.

— Je commençais à avoir le torticolis, gémit Lino en sortant de sa barricade. Ce hibou me pétera l'ulcère un de ces quat'. Dis, commy, tu peux pas t'arranger pour le muter loin d'ici ?

— Impossible. Il a une sœur dans l'administration et elle se laisse pratiquer recto verso.

Baya fait la confuse en s'abritant derrière ses mains.

De la tête, j'ordonne à mes nègres de me suivre. Une fois seuls, j'attends leurs rapports.

Parce qu'il est le plus gradé et le plus ambitieux, Lino commence le premier. Il feuillette son calepin. Je sais qu'il n'y a rien dedans, mais ce bluff a le mérite de me décompresser.

— Sabrine Malek, blonde aux yeux verts... Où c'que j'l'ai mis, où c'que j'l'ai mis ?... Ah ! nous y voilà... Page 19. Cette gosse a un réacteur aux fesses. Sait pas s'tenir en place. Au lycée, son look incendiaire ne la fait pas passer pour une lumière...

— On l'a vue, la dernière fois, il y a trois semaines, enchaîne Serdj. Elle était avec un certain Mourad Atti, proxénète à ses heures extrapénitenciaires.

— D'après ses copines de classe, elle fuguait

tout le temps. Elle terminait jamais ses cours.
C'était une fille à problèmes. On l'aimait pas
beaucoup.

— Il faut me trouver ce Mourad At...

J'ai pas fini d'articuler qu'une formidable défla-
gration ébranle le bâtiment. Aussitôt des piaille-
ments et des cavalcades nous cascadent dessus.
Lino est pétrifié, les lunettes en équilibre sur le
bout du nez. J'écarte Serdj et file dans le couloir.
Du haut de son troisième étage, le directeur braille.
Personne ne l'entend. Tout le monde se rue vers la
cour, la figure violacée et le dos frissonnant.

Dehors, un ciel anémique s'accorde à rafistoler
les nuages. Dans la rue, les badauds regardent le
drame sans le réaliser. Une voiture brûle, les
quatre fers en l'air. Une fumée noire zèbre les
façades. Des corps disloqués saignent sur le pavé.

— Voiture piégée, balbutie l'agent en faction.
Le gosse, il a volé comme une flammèche.

Quelqu'un hurle après des ambulances. Ces
cris nous dégrisent. Les gens émergent de leur
stupeur, se découvrent des plaies, des horreurs.
Tout de suite, c'est la panique. En quelques
minutes, le soleil se voile la face et la nuit — toute
la nuit — s'installe en plein cœur de la matinée.

Mina m'a préparé de la soupe aux oignons.
C'est mon plat préféré. Je suis à table, silencieux,
et je fixe mon assiette sans la voir. L'idée de casser la croûte me donne la nausée.

Il me suffit de fermer les yeux pour que la voiture piégée m'explose dans la tête et que son onde de choc revienne fourmiller dans mes mollets.

Je ne me souviens pas de celui qui m'a ramené à la maison. Je me rappelle seulement que je n'arrivais pas à mettre en marche ma Zastava. Le spectacle des corps déchiquetés, de l'enfant désarticulé sur la fondrière désarçonnait ma lucidité.

J'ai vu un tas de cadavres dans ma chienne de carrière. À l'usure, on fait avec. Mais un gosse mort, c'est contre nature. Jamais je ne lui survivrai en entier.

Mina a eu la bonté de ne pas me poser de questions. Elle a appris à ne pas me déranger dans le malheur.

Mes gosses sont au salon. Ils évitent de s'asseoir à table, d'engager la conversation avec moi. Ils connaissent par cœur mes sautes d'humeur et ils m'en veulent de gâcher leurs rares instants de répit. Ma fille est nerveuse dès que je débarque. Il suffit que je me racle la gorge pour qu'elle se recroqueville sur elle-même.

Il ne m'est pire frustration que de voir mes gosses sursauter quand j'essaie seulement de demander un verre d'eau.

Saloperie de guerre.

Je repousse mon assiette, file dans ma chambre. Mina m'y rejoint. Ses yeux sont émouvants de reproches. Elle s'installe dans mon dos, me masse le cou. D'habitude, quand elle me prenait de cette façon, Mina, c'était une thérapie. Ce soir chacun de ses attouchements me meurtrit comme une morsure.

Je me retourne vers la fenêtre. La nuit sécrète sa bile sur la ville. Déjà, au loin une rafale enclenche le délire.

6

Ça fait deux bonnes heures que je m'esquinte les coudes sur le comptoir crasseux d'un café, au coin de la rue des Révolutions.

Perché en haut d'un tabouret, je réchauffe entre mes mains une tasse de thé depuis longtemps tiédie. Ma montre indique huit heures trente du soir, et Mourad Atti tarde à se manifester.

Lino est attablé dans un angle, engoncé dans une salopette usée pour se faire passer pour un maçon désœuvré. Il est assis sur des orties, Lino. Le quartier n'a pas la réputation d'être tendre avec les flics.

Le cafetier est un bonhomme rabougri. Il met plus de temps à servir un client qu'un douanier du bled à libérer un passager. Il pourrait paraître débonnaire s'il n'avait pas un vilain porc-épic sur la gueule : une barbe subversive qui rend sa proximité hasardeuse.

Autour de moi, une brochette de vieillards conversent en se curant méthodiquement les narines. Plus loin, des adolescents aiguisent leurs prunelles sur la déprime ambiante. Ils ont les sourcils bas, les lèvres agressives, et ils subissent leur exclusion comme une grossesse nerveuse.

Neuf heures !

Je vais téléphoner à Mina pour la rassurer. À mon retour, je découvre un individu confortablement installé à ma place, les pattes déjà autour de ma tasse.

— Hé ! fait-il goguenard. Qui va à la chasse perd sa place.

— Ouais ! mais quand il revient, il chasse son chien.

Avec le doigt, il reconnaît que je viens de marquer là un point et retire sa grosse caisse de sur mon tabouret.

Le cafetier n'a pas apprécié. Il astique hargneusement devant moi et en profite pour me confisquer mon breuvage.

Lino me montre sa tocante, histoire de me rappeler que le couvre-feu est toujours en vigueur. Je lui fais signe d'écraser.

Mourad Atti se pointe enfin, une sacoche sous le bras. Il salue un revendeur de cigarettes qui a choisi de déployer son attirail de misère sur le pas de la porte du café, inspecte les parages, s'attarde sur moi, puis sur Lino, nous trouve des mines suspectes. Il n'a pas le temps de se tailler. Serdj lui colle illico au train.

— Gentil, lui susurre-t-il.

Mourad tente une diversion. Je lui cloue le bec avec mon flingue. En un tournemain, nous le balançons sur la banquette arrière de la Peugeot de service et déguerpissons sur les chapeaux de roues.

La manière avec laquelle le petit peuple a considéré notre manège me recommande de ne plus remettre les pieds dans le secteur.

Haj Garne n'a pas besoin de sérum de vérité pour se trahir. Il est l'incarnation par excellence de la fausseté. Son sourire, ses éclats de rire, ses grasses taloches sur l'épaule ne sont que leurre.

Il appartient à cette sous-humanité qui a réussi sans pour autant se défaire de son origine pouilleuse. Analphabète pluridisciplinaire, il s'évertue tout de même à se donner une contenance à la hauteur de sa fortune. Malheureusement, ce sacré passé est là, au bout du geste, rustre, farouche, évoquant un singe de cirque dont l'accoutrement de groom n'occulte pas les grimaces.

— Si je m'attendais à te voir chez moi, me lance-t-il en me serrant vicieusement contre lui.

— Je suis venu patauger dans ta fange.

— Je m'en doutais un peu.

À ma connaissance, Garne bossait comme ferronnier chez un colon. Comment il a réussi à bâtir son empire relève du casse-tête chinois. Il n'a jamais pris de risque. Pendant la guerre 1954-1962, il s'agrippait scrupuleusement à son chalumeau. Après l'indépendance, il s'est débrouillé une fiche communale et s'est inscrit dans une *kasma*. Les militants l'ont adopté avec empressement, et c'est dans leur nid de vipères qu'il s'est initié à la stratégie de la magouille.

À chaque fois que j'essaie de saisir l'allégorie d'une telle ironie, j'en déduis qu'une malencontreuse inversion dans les feuillets de l'Histoire rend la société algérienne impropre à l'appréciation.

— Autant te dire tout de suite que tu n'es pas le bienvenu dans ma maison, m'avertit-il.

Je m'en doutais un peu, moi aussi.

Il ne s'écarte pas pour me laisser entrer.

— C'est quoi, ton problème, poulet ? Tu n'as pas mal au cul quand pond ta poule ?

— C'est surtout celle des autres qui me fait chier.

— T'as le droit d'être polygame. Alors, pourquoi te gêner ?

— Je me fais vieux.

— Il y a des hospices, tu sais ? Tu n'es pas venu m'attendrir, je suppose. De ce côté, t'as aucune chance. Je blaire pas les poulets.

— Non, je ne suis pas venu t'attendrir, Haj.

— Si t'es venu tirer le diable par la queue, tâche de ne pas te tromper de côté.

Il me menace du regard.

— Ouais ?

— Mourad Atti dit qu'il travaille pour toi.

— Qui c'est ce con ?

— Un proxénète.

— J'en ai un contingent. Et alors ?

— Il utilisait une fille qui a disparu, une certaine Sabrine Malek.

Il retrousse le coin de la bouche :

— Écoute voir, mon poussin. Les empêcheurs de danser en rond dans ton genre ne me dérangent pas le moins du monde. Tes insinuations, j'en ai rien à cirer. Pour ton information, je triche deux fois plus que je respire. J'ai un œil dans chaque merdier, et le nez à tous les râteliers. Je suis le monument vivant de la pourriture. Et je t'emmerde. Parce que ton insigne de flic, c'est juste pour te numéroter, connard. Parce que tu n'es pas de taille. Parce que c'est comme ça, et pas autrement.

Je vous disais bien que c'est un rustre. Pas plus de courtoisie qu'une massue.

Il faut reconnaître que le pays recèle un tas de gars comme lui, convaincus que la loi, c'est pour les autres ; des gars tellement sûrs de leur impunité que la vue d'un gardien de la paix est perçue, chez eux, comme une anomalie, un vague « déjà vu ».

Je me retourne vers Lino resté dans la Peugeot, m'essuie fébrilement le front dans un mouchoir.

— Tu m'as rudement secoué, dis donc, avoué-je. Ah ! là là, tu viens de me faire griller une soupape. Jamais j'ai été aussi sévèrement rivé à mon

56

clou. Putain ! j'en dégouline comme du camembert… Je présume que je ne tirerai rien de bon de cet entretien ?

— Et encore, estime-toi heureux de t'en tirer à si bon compte.

Il remonte les trois marches de son perron, temporise avant d'ajouter :

— La prochaine fois, commissaire, téléphone d'abord. Je préfère recevoir les culs-terreux dans une gargote pour ne pas les dépayser. Chez moi, je reçois uniquement mes amis.

— Je m'en souviendrai, promis.

Il claque la porte derrière lui.

Je rejoins ma charrette. Lino devine que je viens de me faire taper sur les doigts et, pour une fois, il fait comme si de rien n'était. Sans poser de questions, il démarre, les yeux devant, comme un grand.

Au bout d'une centaine de mètres, je lui ordonne de solliciter la marche arrière. Là non plus, il ne pose pas de questions et il s'exécute. Comme un grand.

Je ressonne à la porte de Haj Garne et ne lui laisse même pas le temps de voir qui c'est. À peine montre-t-il sa face que je lui expédie mon droit juste à l'endroit où ses amants lui roucoulent des cachotteries. Il se décroche telle une tenture et s'abat dans le vestibule, la bouche ouverte et les bras en croix.

Satisfait, je rajuste mon manteau, masse mon

poing et rejoins Lino qui m'imagine déjà crucifié sur l'autel des sacrilèges.

En me voyant entrer, le patron ramène ses pattes sur le bureau. Dans la pantomime conventionnelle, ça veut dire que je ne vaux pas plus qu'une crotte sur un terrain vague.

Après un silence significatif, il barrit :

— Quand vas-tu t'assagir, Llob ? Bon sang de bonsoir ! quand vas-tu apprendre à ne pas mordre le voisin dès qu'on te relâche la laisse ? On n'est pas au Far-West...

Je me tais. Conformément aux articles 13 et 69 du règlement de la Sûreté nationale qui stipulent : « Quand un chef te savonne, subalterne indigne, tu fermes ta gueule pour ne pas mousser en dedans et faire une colique. »

— On ne peut plus rentrer chez soi, avec toi. On n'a plus droit à une heure de détente. Dès que j'ai le dos tourné, tu t'arranges pour chambouler la ville.

— J'ai pas bien compris cette histoire de laisse, monsieur le directeur.

— Comment as-tu osé lever la main sur l'honorable Haj Garne ?

— C'est en essayant de me moucher, monsieur le directeur. Je suis horriblement maladroit quand j'suis enrhumé.

M'est avis que je suis allé un peu fort car le

dirlo se dresse et cogne sur la table. Comme il y a quand même une justice sur terre, il rate le sous-main et son poing en porcelaine s'esquinte sur le cendrier.

Je le laisse lécher ses doigts écorchés, raide comme une corde, le menton à 90°.

Le directeur retrouve un peu de ses couleurs au fur et à mesure que s'atténue la douleur.

Il tonitrue :

— Il va porter plainte. Je ne ferai rien pour le dissuader. Et je te prêterai plus mon parapluie. Parce que je tiens à voir le ciel te tomber sur la tête, Llob. Depuis le temps que tu cherches ton maître, tu l'as finalement trouvé…

Sa voix nasillarde me fatigue.

C'est difficile d'intimider une tête brûlée quand on parle du nez.

Je prends mon mal en patience. J'ai beau m'intéresser à un couple de moineaux sur un fil, dans la cour, pas moyen de m'envoler.

Le directeur discipline sa diatribe. S'éponge dans un morceau de soie. Après un halètement, il me propose :

— Tu vas lui téléphoner tout de suite pour lui présenter tes excuses.

— Que nenni.

— J'ai pas bien entendu.

— Que nenni…

— C'est une mutinerie ?

— C'est vous qui voyez.

— Tu vas lui téléphoner de suite sinon je t'arrache les oreilles.

Eh, ben !

Je zieute dédaigneusement mon géant aux pieds d'argile, respire un bon coup et lâche :

— Tozz ! sur toi et sur tes ancêtres, monsieur le pistonné. Je t'ai connu minable dans ta guérite, place du 1er-Mai, à siffler après les tombereaux. Je me souviens encore de ton froc écorché et de ta vareuse d'épouvantail. Les hauteurs de la hiérarchie te montent à la tête. Va falloir faire gaffe au vertige.

— Je ne t'autorise pas à me tutoyer. Je suis le directeur...

— Je n'ai même pas voté pour toi. Si ça ne tenait qu'à moi, tu ne mériterais même pas de figurer sur une liste d'objets perdus. T'es rien, juste un mythe éolien, un fruit confit de la médiocrité, une petite merde copieuse, un faux jeton gras et ingrat... Quant à ton protégé, dis-lui que même s'il crève la dalle, un flic, ça se respecte.

Je le laisse planté dans la tourbe de ses quatre vérités et claque la porte derrière moi.

Dans le couloir, le personnel, qui a entendu, me félicite de l'œil et du doigt, incrédule et admiratif.

Lino rapplique après le déluge. Il est aux nues. Il plonge l'appendice, qu'il fait passer pour un nez, dans un torchon et claironne si fort que Baya sursaute dans la pièce à côté.

— On raconte que tu viens de clouer le bec au dirlo, jubile-t-il. C'est vrai que tu l'as traité de « merde copieuse » ?

— Et alors ?

— Putain ! s'extasie-t-il. Tu les trouves où, tes sacrés qualificatifs, commy ?

— Dans les chiottes.

7

Je suis allé voir Da Achour.

Quand je ne suis pas bien, c'est vers lui que me conduisent mes pas. Sa sérénité met de l'eau dans mon vin.

C'est un visionnaire, Da Achour, un prophète peut-être. Il regarde le monde comme on regarde dans les yeux de quelqu'un qu'on connaît bien. Il sait toujours d'où vient le vent, où va l'orage, et il sait surtout qu'on n'y peut rien.

Il habite au sortir d'un village fantôme, à l'est d'Alger. Un patelin tout en renoncement, tapi dans un repli de plage, si rétif que même les terroristes répugnent à l'investir.

Autrefois, c'était un joli village fréquenté par les colons prospères de la Mitidja. Il y avait plein de parasols aux couleurs éclatantes. Les marchands de glaces proposaient des verres de citronnade hauts comme des tours. L'orchestre municipal jouait Tino Rossi sur la place et les jeunes filles en herbe se laissaient volontiers brouter par les vacheries des zazous de la ville.

Puis, il y a eu la guerre, et les géraniums ont disparu. Il ne reste rien sur cet ex-havre de kermesse, sinon des maisons teigneuses, une chaussée défoncée et le sentiment de compter pour des prunes.

De rares pêcheurs s'accrochent encore à une jetée rejetée par les flots, vite dissimulée par des roseaux pourrissants.

Da Achour hante un taudis au bout d'un chemin flanqué d'une haie en disgrâce et d'une paire de chiens tellement durs à la détente qu'on les supposerait constipés. À part un morceau de mer en guise d'horizon et un pan de falaise pour unique port d'attache, on se croirait dans les limbes.

Da Achour ne quitte jamais sa chaise à bascule. Chez lui, c'est une protubérance naturelle. Une cigarette au coin de la bouche, le ventre sur ses genoux de tortue, il fixe inlassablement un point au large et omet de le définir. Il est là, du matin au soir, une chanson d'El Anka à portée de la somnolence, consumant tranquillement ses quatre-vingts ans dans un pays qui déçoit. Il a fait pas mal de guerres, de la Normandie à Dien Bien Phu, de Guernica aux Djudjuras, et il ne comprend toujours pas pourquoi les hommes préfèrent se faire péter la gueule, quand de simples cuites suffisent à les rapprocher.

Maintenant, Da Achour ne se casse plus le *sebsi*. Il guette, entre deux ressacs, la Dame à la faucille argentée. Sa femme est morte depuis une génération, il n'a pas de rejetons et il ne serait nullement affecté si le bon Dieu daignait le rappeler.

Je le trouve sur la véranda, les pattes sur le guéridon, l'œil dans le lointain. Sa nuque cramoisie frémit au crissement de mes semelles. Il ne se retourne pas pour me voir m'entasser sur un lit de camp près de la balustrade.

Au bout d'un long moment, agacé par mes soupirs, il maugrée :

— Tu as raté ta vocation, Llob.

— Lino pense que j'aurais fait un bon souffleur de théâtre, reconnais-je.

— Mieux : tu aurais fait un bon moulin à café.

— Ah ?

— Puisque tu n'arrêtes pas de broyer du noir.

J'observe le vol d'un papillon complètement bourré puis reviens sur la nuque vergetée du vieillard.

— C'est pas la joie, Da.

— Tu n'es pas le messie.

— Mais j'suis inquiet.

— Ça ne sert à rien de se court-circuiter les neurones.

Je m'appuie sur le coude.

— Tu ne perçois pas grand-chose, de ton trou à rat, Da.

— Qui regarde de loin, voit plus grand.

— On ne se contente pas de regarder quand le bled fout le camp.

— C'est biologique. Le monde est en train de subir le métabolisme de sa sénilité. Nous entrons dans une ère extatique, le millénaire des gourous. Les civilisations vont être soufflées par un formidable retour à la case départ. Les frontières vont sauter, les races et les valeurs fondamentales aussi. Il n'y aura plus de patries, plus d'hymnes nationaux, mais seulement des confréries obscures et des incantations. La terre sera gangrenée par des sectes tentaculaires, hérissée de fakirs et de prophètes déconnectés, et sur le palier d'un même immeuble s'installeront les no man's land. Adieu ses majestés, adieu les présidents, adieu scrutins et lois électorales : les gens choisiront, parmi les apprentis marabouts, leurs propres divinités et vivront de rituels stupides et d'exaltations suicidaires. Déjà l'intégrisme est en train de ramener la foi au culte des charlatans. Les religions du monde ne résisteront pas longtemps au vertige des diabolisations. Les églises seront supplantées par les temples hérétiques. Les mosquées n'oseront plus dresser leurs minarets devant la loge des mutants… Le troisième millénaire se veut foncièrement mystique, Llob. L'apocalypse y sera perçue comme l'orgasme des enchantements.

Je secoue la tête, groggy.

Da Achour ne passe pas pour un amateur de papotages, mais lorsqu'il lâche la bride à ses états d'âme, il retrousserait sa soutane à un curé de campagne.

Il n'a pas bronché d'un cheveu, le vieux. Il a juste plissé une ride sur sa tempe. De nouveau, son regard s'emmitoufle d'embruns.

— Je ne soupçonnais pas la Méditerranée capable d'inspirer tant de déprime, lui reproché-je. Tu étais si désopilant, avant. Et moi qui suis venu recharger mes batteries et m'oxygéner le bourrichon. Où c'qu'il est passé ce boute-en-train dont les tournures de phrases tournaient le diable en bourrique ?

— Justement. Je suis un peu comme ces jeux de mots qui, de prime abord, épatent et qui, à la réflexion, ne veulent rien dire.

— Oh ! du calme, Da. Tu es en train de subir le métabolisme de ta sénilité.

Il se retourne enfin. Ses yeux ressemblent toujours à la mer, seulement ce matin aucun voilier n'y suggère l'évasion.

Il dit :

— Sais-tu pourquoi les clowns mettent de la peinture sur leur figure ? Les enfants supposent que c'est pour rire. Un énorme groin rouge amuse mieux qu'un nez. Et les étoiles sur le front sont moins tristes que les rides. En vérité, Llob, les clowns se mettent des couleurs criardes sur la gueule pour fausser les traits de leur chagrin. C'est leur manière de faire semblant, de dédoubler leur personnalité. Un peu comme les oiseaux, c'est leur façon à eux de se cacher pour mourir. Et qui soupçonne la solitude d'un clown dans un cirque en fête? Personne. Et c'est mieux ainsi. On ne s'assume que dans son secret.

Il refait face à la mer. Pour moi, c'est toute une île qui se décroche de mon archipel.

— Il y a du thé dans le thermos, commissaire. Ça ne fait pas le bonheur d'un homme, mais ça l'aide à digérer.

Au loin, un paquebot joue à saute-mouton avec les flots. Dans le ciel boycottant nos champs et nos prières, les mouettes fusent comme des slogans blancs.

Je n'aurais pas dû déranger un vieillard qui *sait* pourquoi la houle ne divertit pas les vagues quand elle se met à se déhancher.

8

Le directeur se relève de notre dernière entrevue comme d'une maladie honteuse, la figure aussi éprouvée qu'un chiffon. Il a mis un costume noir, une cravate grise et des lunettes opaques pour masquer ses arrière-pensées.

Bliss est à côté de lui, faussement obséquieux, presque pathétique dans son statut de polyglotte en matière de lèche.

J'envahis le bureau d'un pas résolu. Je ne salue pas. Je me limite à me tenir debout, les mains dans les poches, aussi dénué de respect pour la République qu'un député.

Bliss condamne du regard mon attitude. Je l'ignore. La commissure de la bouche tranchante, j'attends.

Le dirlo fait semblant de lire un rapport avec cette solennité mensongère qu'empruntent les juges corrompus. Sûr qu'il a passé des heures à peaufiner son scénario. Maintenant que je suis là il s'entremêle les répliques.

Pour le déconcentrer davantage, je tape du pied sur le parquet.

Le dirlo rabaisse d'un cran ses lunettes. Son doigt me prie de patienter, me propose un fauteuil. Je juge bon de mettre un certain temps avant d'occuper le siège pour lui faire entrer dans le bidet qui lui sert de tronche que je n'exécute pas un ordre.

— Commissaire, je tiens à…

— Entendons-nous bien, monsieur le directeur, le coupé-je, sec. Si c'est pour nous renvoyer le boomerang, je ne suis pas d'humeur.

Ses narines papillotent.

Il garde la tête froide.

— Ne te rends-tu pas compte que monsieur le

directeur se veut conciliant, intervient Bliss en contemplant ses ongles.

— Reste en dehors de ça, le nabot, si tu ne tiens pas à ce que je te foute dans un caniveau jusqu'à ce que les rats aient fini de te sucer les os.

Bliss recule et se tait. Ses yeux rétrécissent. Ça signifie qu'il est en train de réfléchir. Et quand Bliss réfléchit, le diable lui-même retient son souffle.

Le directeur s'impatiente, nous somme de nous assagir. Après un long soupir, il annonce :

— Mourad Atti a été remis ce matin à l'Obs[1].

— J'ai pas fini avec lui.

— Ce n'est pas grave. S'il a des choses qui ont un rapport avec notre affaire, les gars de l'observatoire m'ont promis de nous en informer.

Je me lève.

— Je peux disposer ?

— Bien sûr…

Je lisse le devant de ma veste, fais quelques pas vers la porte. Sa voix me rattrape :

— Commissaire…

Je m'arrête et ne me retourne pas.

Le dirlo descend de sur son trône et me rejoint. Sa main vermeille et délicatement manucurée se pose sur mon épaule avant de se retirer comme sous l'effet d'un électrochoc. Il me devance jusqu'à la porte et, caressant la poignée, il minaude :

1. Observatoire des bureaux de sécurité.

— Tu n'as rien de spécial à faire, aujourd'hui ?

— Ça dépend.

— Si ça ne t'ennuie pas trop, essaie de faire un saut chez notre ami Ghoul.

— C'est pas de chance. J'ai cassé ma perche, ce matin.

— Ce qui veut dire ?

— Que c'est fini. Votre pote ferait mieux d'engager un détective privé. Moi, les histoires de cul, ça sent tellement mauvais que j'y vois rarement clair. Trouvez-vous un autre merdeux.

— Ce n'est pas sérieux, se lamente le patron.

— C'est ce que je disais depuis le début.

Lino me ramène à la maison. Il triture le volant et évite de me regarder. Ça fait une bonne vingtaine de minutes que nous roulons et, dans la voiture, c'est le mutisme plat. Il sait que je me suis mis beaucoup de monde sur le dos et ça le tarabuste.

— Ces types sont des bulldozers, m'avertit-il.

— M'en fiche.

— Qu'as-tu l'intention de faire ?

— Préparer ma retraite. J'ai plus l'âge des humiliations.

Lino fait non du doigt :

— C'est pas le moment, commy. On est en guerre. Ils vont te traiter de déserteur.

— M'en fiche.

— Et ta carrière, commy. Tu vas pas décrocher maintenant que tu es à deux doigts de passer divisionnaire.

Là, je le freine :

— La vraie carrière d'un homme, Lino, c'est sa famille. Celui qui a réussi dans la vie est celui-là qui a réussi chez lui. La seule ambition juste et positive est d'être fier à la maison. Le reste, tout le reste — promotion, consécration, gloriole — n'est que tape-à-l'œil, fuite en avant, diversion...

Lino en reste coi.

Il me dépose chez moi et s'en retourne au bureau, une fermeture Éclair sur les gencives.

Un malheur n'arrive jamais seul. Il n'a pas assez de cran pour ça. Il lui faut impérativement une épreuve supplémentaire pour l'assister dans son travail de sape.

En rentrant à la maison, je bute sur deux valises dans le vestibule. Mon fils aîné est dans le couloir, navré mais déterminé. À sa mère qui sanglote, je comprends qu'il a décidé de découcher pour de bon. Ça fait un bail que l'idée de mettre les voiles lui trotte dans la tête. Alger lui est devenu une vraie camisole de force. Le quartier de son enfance ne l'attendrit plus.

Son regard fléchit devant moi.

Il déglutit :

— J'suis désolé, papa.

— Ce n'est pas ta faute, fiston.

Il est fils de flic. Dans la convention intégriste, il mérite le même sort que son père. On a égorgé pas mal de gosses simplement parce qu'ils avaient des parents soldats ou policiers.

Je suis presque soulagé qu'il ait pris la décision de changer d'air.

— Ne m'en veux pas trop, papa.

— Ce n'est pas ta faute, je te dis. C'est quoi, ton cap ?

— Tamanrasset. J'ai des amis, là-bas. Je trouverai bien un boulot.

— Je n'en doute pas.

Nous nous regardons en silence. Finalement, je lui ouvre mes bras et il vient se blottir contre moi. Il a beaucoup maigri, mon grand.

Mina s'abreuve dans ses larmes.

Une mère, ce n'est jamais qu'une mère : une même larme et pour ses joies et pour ses peines.

Il ramasse ses valises. Moment terrible. Un pan de ma chair se sépare de moi. Je me sens infirme.

— Téléphone de temps en temps.

— C'est promis.

Il revient embrasser sa mère. Se retire. La marée nous apporte certes quelques coquillages pour meubler nos souvenirs, mais ce qu'elle emporte est inestimable.

— Prends soin de toi, fiston.

Il opine du chef.

Un petit sourire, et l'ascenseur nous le confisque.

Il n'est pire résignation qu'une porte qui se referme sur un être qui, au moment où il nous quitte, nous manque déjà.

9

C'est tout à fait par hasard, que nous débouchons, Lino et moi, sur un remue-ménage, cité des Oliviers. Pas moins de cinq voitures de police et deux fourgons cellulaires cernent une villa en construction, les gyrophares fous et les vitres éclatées.

Dissimulé sous un capot, l'inspecteur Serdj transpire, un haut-parleur dans une main et dans l'autre une pétoire. Il est vachement soulagé de me voir tomber du ciel.

— C'qui s'passe ? lui demandé-je, en me faufilant à côté de lui.

— Une bande de terros a braqué la poste de Bab Llyb. Un citoyen l'a vue atterrir ici et nous a alertés.

— Ils sont combien ?

— Trois. Ils ont descendu un otage (il me montre le corps d'un adolescent au pied d'une bétonnière) et blessé un de mes hommes.

Je dégaine, redresse le périscope pour reconnaître le terrain. Une rafale fait sauter le pare-brise au-dessus de ma tête.

— Ils sont là-dedans depuis longtemps ?

— Une heure environ. Ils refusent de se rendre. Il y a une fille avec eux.

— Ils retiennent d'autres personnes ?

— Le maçon et son fils.

— Armement ?

— Deux kalach et un fusil à pompe.

Le lieutenant Chater, de la section « Ninja », rampe dans notre direction.

— Bienvenue à la casse, commissaire.

— Ça se présente comment ?

— Ils sont dans les vapes. On peut les avoir. J'ai placé deux tireurs là-bas, un sur le toit et deux autres là-haut.

— Tu aurais pu prévoir un autre là-bas, lui reproché-je uniquement pour asseoir mon autorité.

— Angle mort.

De la fumée commence à s'échapper d'une fenêtre.

— Ils sont en train de brûler le fric de la poste, m'explique Chater.

— Les fumiers ! avec quoi va-t-on rembourser le FMI, maintenant ?

Je m'empare du haut-parleur.

— Vous perdez votre temps, commissaire.

— C'est pour n'avoir rien sur la conscience, après.

De nouveau, on nous arrose. Les voitures tintinnabulent sous les impacts.

— Hé ! *taghout !* crie la fille. Y a un vieux et son bâtard avec nous. Ou vous dégagez, ou nous allons d'abord les bistourner, ensuite leur trancher les doigts, puis les oreilles, puis les orteils jusqu'à ce qu'il ne reste rien à couper. Si vous êtes encore là dans cinq minutes, le premier passera à la casserole.

— Ils ne plaisantent pas, s'affole Serdj. Dans moins de cinq minutes, ils vont désosser le premier otage.

— On ne va quand même pas les laisser filer, s'insurge Chater. Ce sont des bourreaux itinérants.

— Quatre minutes quarante-cinq secondes. Il faut se grouiller, les gars.

Je fais signe à Lino. Il exécute un slalom époustouflant et vient s'aplatir contre une roue.

— Quatre minutes trente secondes, panique Serdj.

— Ferme-la ! On n'est pas à la Nasa.

Des gouttelettes de sueur perlent sur le front de l'inspecteur. Ses pommettes frémissent de tics. Il avale sa langue sans quitter sa montre des yeux.

Je fais le briefing à Lino :

— Y a deux braves bougres qui vont se faire bousiller dans quelques minutes si on ne va pas les chercher tout de suite. Un père et son fils. D'après Chater, les trois terros se sont shootés aux barbituriques. On peut les culbuter.

— J'suis paré, chef, éructe-t-il en brandissant son 9 mm.

— Signe-toi et colle-moi au train.

Je respire un bon coup et fonce sur le chantier. Les Kalachnikov soulèvent une multitude de gerbes autour de mon parcours. Je plonge dans le granulat, rampe vers un container. Lino me rejoint, la figure décomposée. Pour sauver la face, il me montre pompeusement son pouce.

— C'est pas le moment de faire de l'auto-stop, grogné-je.

Un coup part du toit. Quelqu'un beugle à l'intérieur de la villa. Un pantin apparaît, titubant, la mâchoire arrachée. Il s'écroule dans l'escalier et se raidit.

— Par ici, hurlé-je à l'otage.

Le gamin refuse de m'écouter. Il est cloué contre la rampe, médusé par le macchabée.

Lino profite d'une fusillade pour attraper le gosse par le bras et le mettre à l'abri du container.

Les tangos s'énervent. La gonzesse se met à découvert pour nous mitrailler. Les pare-brise volent en éclats. Les flics se coudoient ferme dans leur hypothétique refuge. Chater tire. La gonzesse lâche sa machine à coudre, paraît ne pas réaliser ce qui lui arrive. Au milieu de ses sourcils, un bourgeon vient d'éclore. Elle tente de s'accrocher à une poutre, bascule dans le vide. Son corps de sirène rebondit sur la bétonnière avant de se figer dans une pose impudique.

Lino et moi choisissons cet instant précis pour passer à l'abordage. Nous nous engouffrons dans le vestibule. Le rez-de-chaussée semble désert. Je passe le premier, le flingue en précurseur. Lino suit de près, les genoux fléchis, le fessier si bas qu'il rappelle une guenon en train d'uriner.

Le dernier tango fulmine au premier.

Je grimpe précautionneusement les marches en me limant les vertèbres contre le mur. Dehors, Serdj et son équipe se donnent à fond pour distraire le terro. Je peux enfin le voir. C'est une armoire à glace, le genre de cible dont je raffole. Il utilise le maçon en guise de pare-balles.

Lino tente de me soumettre une astuce de circonstance. Je porte mon flingue à mes lèvres et il se couche.

Les hommes de Chater se remettent à arroser la bâtisse. Le terro riposte énergiquement. Il ne m'entend pas me camper derrière lui. Le temps de s'apercevoir que ses carottes sont foutues, sa tête pète comme un énorme furoncle.

Baya a encore perdu sa boucle d'oreille. À quatre pattes, elle cherche sous le bureau, le postérieur exagérément relevé. Un yo-yo dans la gorge, Lino feint le décontracté, un œil dans le journal et l'autre sur la croupe remuante.

C'est dans cette passionnante chorégraphie que je les surprends.

76

J'apostrophe le mâle :

— À force de te rincer l'œil, tu risques de finir plongeur dans une gargote.

Baya se redresse, confuse, rajuste sa jupe et s'efface aussi vite qu'une feinte.

Pour jouer à l'innocent, Lino agite son canard :

— On a descendu le poète Jamal Armad.

— Je suis au courant.

— Purée ! il n'avait pas vingt-cinq ans.

J'accroche mon manteau à un clou, lui trouve l'air d'un drapeau en berne et vais le reposer sur le dossier de ma chaise.

— Quel gâchis ! pourquoi diable s'acharne-t-on comme ça sur les gens de lettres, commy ?

— Ça ne date pas d'aujourd'hui, Lino. C'est une vieille histoire. Traditionnellement, dans notre inculture séculaire, le lettré, ça a toujours été l'Autre, l'étranger ou le conquérant. Nous avons gardé de cette différence une rancune tenace. Nous sommes devenus viscéralement allergiques aux intellos. Et chez nous, à l'usure, il arrive que l'on pardonne la faute, jamais la différence.

Lino repousse ses lunettes et proteste :

— Inculture ? Pourquoi tu dis inculture ?

— C'est à cause d'un regrettable lapsus. Il y a très longtemps, notre ancêtre voulait écrire un bouquin. Comme il ne pouvait pas réfléchir le bide vide, la tribu lui a mijoté un festin incroyable et il a bouffé avec un appétit tel qu'au moment de s'attaquer au manuscrit, il s'est aperçu qu'il avait bougrement envie de piquer une sieste. Le problème, il craignait qu'à son réveil sa muse disparaisse. Un vrai dilemme. Alors saint Ziri, notre père à tous, lui est apparu. Il lui a demandé ce qui n'allait pas. Notre ancêtre lui a expliqué qu'il avait en même temps une insurmontable envie de roupiller et un incommensurable besoin de rédiger ses mémoires. Saint Ziri, qui fut un grand mécène de son vivant, a eu ce malencontreux lapsus. Au lieu de lui dire « rédige », il a dit « digère ». Et depuis, nous n'arrêtons pas de digérer.

— Jamais grand-père ne m'a conté une chose pareille.

— C'est parce qu'il ne pouvait pas parler la bouche pleine... Où en est-on avec les trois tangos d'hier ?

— C'est Serdj qui s'en occupe.

Quelqu'un d'autre m'étonnerait.

Le bureau de Serdj cohabite avec les chiottes, au fond du couloir. Il y règne une tabagie et une puanteur intenables. On se croirait dans le labo d'un savant déphasé. La paperasse traîne dans tous les coins, les mégots se décomposent par terre, les armoires ouvrent les bras, les tiroirs tirent la langue...

Serdj, c'est la cheville ouvrière de la boîte. Il ne sait pas dire non quand on le sollicite. Ses camarades de promo sont ou commissaires ou hauts fonctionnaires. Lui, il clopine benoîtement sur sa douzième année d'inspecteur de bas étage. Parce

78

qu'il est obéissant et indispensable, on refuse de le laisser bénéficier de stage ou de bourse, ces deux critères promotionnels étant réservés exclusivement aux pistonnés et aux indésirables dont on veut se débarrasser.

Je m'installe sur une chaise et croise les pattes.

— On a identifié les terros ?

— La fille est inconnue au bataillon. Ses empreintes digitales n'ont pas donné. Quant au rouquin, il s'agit de Daho Lamine, trente et un ans, célibataire. Son père est tellement plein aux as qu'il se fait faire des chaussettes sur mesure.

— Et l'autre ?

— Brahim Boudar. Trente-sept ans. Marié divorcé. Sans profession. Cinq ans de prison pour acte contre nature sur mineur. Deux ans pour coups et blessures volontaires. Neuf mois pour consommation de stup. Blessé et arrêté en septembre 1993. S'est évadé de Sidi Ghiles en 94.

— C'est tout ?

— Brahim Boudar a été l'un des principaux artisans d'octobre 1988. A incendié les Galeries algériennes à Kouba, les souks El-Fellah de Chéraga et Boufarik.

— Il était frérot, à l'époque ?

— Videur dans un cabaret, les Limbes rouges.

— Intéressant.

— Encore un détail : arrêté en 88, il avait pour bras droit un certain Mourad Atti.

Lino cogne sur la table :

— J'savais qu'on avait pas fini avec cette pédale.

Du doigt, je le somme de la mettre en veilleuse. Je me lève les sourcils bas :

— Je veux Mourad Atti dans mon bureau à quinze heures pile.

Serdj fait la moue :

— Il y a un os, patron. J'ai touché les gars de l'Obs. Ils m'ont formellement certifié que ce zigoto n'a jamais mis les pieds chez eux.

— Et la décharge ?

— Du bidon. L'Obs ne se souvient pas d'avoir chargé qui que ce soit du transfert du suspect. Les deux types dépêchés, c'était des faux. Le directeur s'est fait doubler.

— Alors où est-il ?

— Il est là, commissaire, me guide un gendarme à travers les monticules d'un dépotoir communal.

Mourad Atti est allongé au milieu d'un tas d'ordures. À plat ventre. L'arrière du crâne soufflé par une décharge de gros calibre. Une nuée de mouches à viande autour de sa cervelle.

— C'est un clodo qui l'a signalé, ajoute le gendarme en se pressant fortement un mouchoir contre la figure.

Je m'accroupis devant le cadavre. Il a des menottes aux poignets et les pieds ligotés avec du fil de fer. Ses grands yeux de supplicié semblent me détailler en catimini.

Le gendarme m'avertit.

— Ne le touchez pas. Il est piégé.

Deux jours plus tard, alors que j'essayais de repérer ce qui rendait la baie d'Alger renfrognée en me frottant le nez contre la fenêtre de mon bureau, je reçois un coup de fil d'Anissa, la poupée gonflable du Cinq Étoiles.

— J'ai entendu dire que vous êtes invité chez madame Fa Lankabout, commissaire.

— Exact. Mais je compte pas y aller, à cause de mon ulcère. Si tu manques de cavalier, je peux arranger ça. J'ai un lieutenant qui adore monter.

La respiration de la petite s'accélère.

— Je suis obligée de couper, halète-t-elle d'une voix lézardée. Retrouvons-nous chez Fa, monsieur Llob. J'ai des choses à vous communiquer.

— Tu ne peux pas m'épargner le déplacement et me dire ça maintenant ?

— Je ne peux pas. À ce soir.

Elle raccroche.

De la main, Lino me demande ce qui se passe.

— Une dame donne une réception.

— Quand ?

— Ce soir.

— Tu es verni, commy.

— Si tu veux, je t'invite.

Le crayon qu'il était en train de mâchouiller lui échappe.

— T'as aucune raison pour me faire marcher, commy. C'est pas bien.

— Croix de bois, croix de fer…

— Vrai de vrai ? Tu m'invites à une réception, avec des nanas et tout ?

— À ta place, je cours illico me procurer un paquet de préservatifs.

Il n'en revient pas, le lieutenant. Il est tellement content qu'il saute au plafond. Comme le pape devant un cadeau de Noël.

10

Quand il s'agit de rendez-vous galant, Lino n'hésite pas à dynamiter sa tirelire. Cette fois, sûr qu'il a dû puiser dans les économies de sa vieille. Il est neuf comme un sou : veston cerise, chaussures italiennes, cravate british, gomina. Une révolution.

Il prend d'abord soin d'essuyer scrupuleusement le siège avant de grimper dans mon tacot.

— Tu t'es encensé avec quoi ? lui dis-je en démarrant.

— Ah ! t'as traité ton rhume, chef. C'est un parfum de Paris.

— Expérimental ?

— Pas du tout, s'indigne-t-il. Avec la griffe et tout.

Je double un camion et fais :

— Tu t'es trompé de flacon, chéri. À voir ce moustique dans le coma, là sur le tableau de bord, sûr que t'as mis la main sur un insecticide.

Lino ricane en considérant mon costume d'incorruptible :

— Avoue que t'es jaloux de mon look, chef.

Nous débarquons chez madame Fa Lankabout un peu après la tombée de la nuit. Lino refuse de croire qu'un tel faste puisse exister dans un pays en guerre. En vérité, j'ai fait exprès de l'inviter pour l'éveiller à lui-même. Depuis le temps qu'on lui bourre le crâne de slogans et de notions crétines sur la droiture et la transparence.

Madame Fa est superbe. Ses maquilleurs se sont surpassés. Enveloppée dans une robe mouchetée de bijoux, on dirait de la charcuterie dans de la cellophane. Elle est tellement courtisée qu'elle a juste un sourire fugace pour ma personne.

Littéralement subjugué par les femelles en rut, Lino se découvre l'enthousiasme d'un toutou ; il remue de la queue. Il jette un regard sur le décolleté des unes, un autre sur la croupe des autres et il déglutit à se déboîter la pomme d'Adam.

— Belle écurie ! Crois-tu que j'aie une chance de seller l'une de ces juments, commy ? Ça fait si longtemps que je me le pétris que je commence à avoir un cornichon ramolli à la place du zizi.

— T'as qu'à te servir. Méfie-toi seulement des culottes lourdes.

— Des quoi ?

— Des travestis, idiot.

Il bat des sourcils et avoue sans vergogne :

— J'suis pas tellement exigeant, tu sais.

J'essaie de localiser la frimousse d'Anissa dans le puzzle de charme. Elle n'est pas là. Au détour d'une bousculade feutrée, nous sommes accostés par deux magnifiques créatures avec juste ce qu'il faut sur la chair pour ne pas ameuter la police des mœurs. La rouquine se tortille comme un asticot, les prunelles enflammées. L'autre est brune, mince et affiche ouvertement la nature de ses appétits.

Lino se surprend à baver à deux niveaux.

— Vous êtes pas dans le cinéma ? lui miaule la brune dans le creux de l'épaule.

— C'est possible, ment le lieutenant.

— C'que vous ressemblez à Woody Allen ! glousse la rouquine.

— Je le vois plutôt en Idir, moi, fais-je.

— Pourquoi ?

— Ben, forcément, puisqu'il est circoncis.

Les deux minettes sont choquées. Elles prennent le binoclard par le bras et l'entraînent vers le buffet.

— C'est quoi, cette momie ? Il est avec toi ?

— Pas du tout, s'en préserve traîtreusement Lino. C'est sûrement un nécessiteux qu'a fait venir madame Fa pour renflouer les caisses de son association caritative.

Seul, j'ai le loisir de m'intéresser à la faune environnante. La demeure des Lankabout est un authentique Olympe grouillant de dieux roturiers et de houris. L'hôtesse a mobilisé près d'un régiment de valetaille pour chouchouter son monde.

Un verre d'orangeade dans la main, je décide de découvrir la tête des convives. C'est pratiquement le même troupeau que chez le gendre de Ghoul Malek, un éventail de snobs arrivistes à vous faire bouffer vos savates… — Hé! relaxe, Llob. Y'a pas mieux qu'un suppo pour vous remonter. — Je reconnais Rachid Lagoune, le président de feu « SOS-Ostra-cisme », un mouvement populiste contre l'exclusion en général et la marginalisation de l'élite en particulier. Un coriace outsider, naguère. Il était à tous les meetings, un micro entre les dents, à narguer les sbires du régime. Pensionnaire auprès de l'ensemble des établissements pénitentiaires de l'État, il était en passe de devenir un mythe.

Je suis étonné de le rencontrer par ici.

Un verre dans le nez, il se marre comme une baleine. Il a accroché un anneau à son oreille, s'est fait pousser une queue de cheval et son nœud papillon lui relève considérablement le menton, lui, le défenseur des nuques basses.

— Tu as retourné la veste à ce que je vois, lui soufflé-je.

Irrité par mon indélicatesse, il cherche dans sa tête dans quel chenil il a pu entrecroiser un pouilleux de mon espèce.

— Mieux, rétorque-t-il, je m'en suis offert une neuve.

— Tu ne milites plus pour les bonnes causes ?

— Toutes les causes sont bonnes, pourvu qu'il y ait l'ivresse... On se connaît ?

— Pense pas. J'ai connu un Rachid Lagoune, autrefois. C'était pas une tapette, lui.

Il me mesure de la tête aux pieds et crache :

— Bonsoir, monsieur, au plaisir de ne plus vous revoir.

Un peu plus loin, je suis intercepté par Sid Lankabout, le scribouillard de l'ancien régime. Dieu que je le déteste. Pas plus de talent qu'une pantoufle n'a de talon. En revanche, un opportunisme inégalable. D'abord communiste du temps où le marxisme supposait bouquiner comme des forcenés, ensuite surréaliste quand la littérature cybernétique forçait l'admiration des cancres, il s'est exercé surtout à la langue de bois et s'est fait pas mal de relations parmi les dinosaures du socialisme algérien. Il est même allé enseigner au lycée pour dégoûter la jeunesse de la lecture. Arabisant morbide, on lui doit l'inquisition à l'encontre des francophones et la majorité des conflits estudiantins enregistrés dans les universités.

Aujourd'hui, à l'heure où les intellectuels sont exécutés sans préavis, il est bizarrement l'un des rares écrivains à faire son marché en plein jour sans regarder à droite et à gauche.

Comme il arrive fréquemment dans la belle pègre qu'est la littérature, où les rivalités sont fortement subjectives et la cordialité à base de mesquinerie savante et de fleurs piégées, la relation Lankabout-Llob a toujours été reptilienne, c'est-à-dire silencieuse et venimeuse à la fois, lui ramenant mon art au rang du genre mineur, et moi contestant brutalement sa renommée de Don Quichotte des aar[1] et des lettres[2].

C'est donc avec une tonne d'inimitiés que nous nous serrons la main.

— Qu'attendez-vous pour rendre votre insigne, Llob ? Il fait une époque à ne pas mettre un flic dehors. En plus, la vocation de romancier est incompatible avec le métier d'emmerder les gens.

— Il fait une époque à ne pas mettre un écrivain dehors, non plus. Pourquoi ne pas commencer par ranger votre propre plume, monsieur Lankabout ?

Il mire son verre comme s'il espérait y trouver un sujet à plagier. Sa bouche se déporte sur le côté :

— Il paraît que vous êtes en train d'accoucher d'un troisième bouquin ?

— Cette fois, j'y traite de l'antimatière.

1. Aar : parjure.
2. Lettres de créances.

— Intéressant, je ne vous savais pas alchimiste. Ça existe vraiment l'antimatière ?

— L'intégrisme en est la forme la plus active.

— Que lui reprochez-vous, vous qui êtes fondamentalement pieux, monsieur Llob ?

— Sa fonction de néologisme insidi-séditieux.

— Je vois. Plutôt hasardeuse comme initiative, ne trouvez-vous pas ?

— C'est pour compenser l'indigence de mon talent.

Il hoche la tête :

— Hum ! une manière comme une autre de forcer la main à la gloire. Une fetwa, et vous voilà propulsé jusqu'au Goncourt. Il y a des tas d'écrivaillons à qui ça a réussi.

— La preuve est devant moi.

— Peut-être, mais mes risques étaient minimes. Je vous reconnais là un sacré courage.

— Qu'en savez-vous, du courage, monsieur Lankabout ?

— Je sais que c'est une grossière fausse manœuvre.

Il ébauche un rictus fielleux, secoue son verre, le porte à ses lèvres mais ne boit pas. Longuement, ses yeux de faux jeton distillent leur venin dans les miens.

— Si seulement vous manipuliez la plume avec autant d'aisance que votre langue, commissaire… Ça a été une grosse peine de vous avoir abordé, Ali Baba.

— C'est réciproque, Ali Gator.

Ma montre me rappelle que ça fait deux bonnes heures qu'Anissa me fait poireauter. Haj Garne est arrivé depuis dix minutes. Supportant mal ma présence, il a dû s'excuser auprès du maître de céans — qui s'est montré singulièrement réceptif — et est reparti en laissant entendre qu'il suffit à un mal empiffré de péter à une table pour indisposer tout le banquet.

Madame Fa a trouvé un moment pour se soustraire aux convoitises de ses gigolos. Elle m'a acculé et m'a laissé croire que j'étais à deux doigts de détrôner Rabelais. Sa main n'a pas cessé de s'informer sur la robustesse de mes abdominaux. C'est vrai qu'elle a la manie de ponctuer ses propos par des attouchements insistants, comme il arrive à ceux qui ne parviennent pas à se faire entendre sur l'essentiel mais, là, elle exagère. Peine perdue, elle se rend compte que je ne figurerai pas à son palmarès sabbatique et laisse tomber.

L'espace d'une gorgée, j'ai vu l'albinos de Ghoul Malek, dans l'arrière-salle, solidement campé sur ses jarrets, semblable à un eunuque à l'affût d'un claquement de doigts. Le temps de picorer au buffet et de revenir, il a disparu.

De son côté, Lino n'a plus donné signe de vie depuis qu'il est monté à l'étage en compagnie de deux souris. En allant le récupérer, l'entrebâillement d'une porte m'interpelle. Le coup d'œil me confirme que le retard d'Anissa ne relève pas d'une quelconque panne mécanique. La petite est là, à plat ventre sur le lit des Lankabout, la robe retroussée par-dessus les hanches, la culotte sur les mollets.

Son assassin a dû l'étouffer contre l'oreiller pendant qu'il lui damait le pion.

11

Nous sommes allés, Serj et moi, passer au peigne fin l'appartement d'Anissa, au Cinq Étoiles. Hormis les traces de caméra derrière les bibelots — ce qui laisse penser que les ébats amoureux de la gosse étaient dûment répertoriés —, rien. Pas de journal intime, ni de calepin téléphonique, ni un quelconque agenda. On n'a pas touché aux bijoux, mais les photos de famille ont disparu.

Nous regardons sous les tapis, raclons le fond des tiroirs en quête d'un bouton de manchette ou d'une rognure d'ongle susceptible de nous mettre la puce à l'oreille — que dalle.

De deux choses l'une : ou Anissa disposait d'un logiciel encastré dans le crâne ou bien quelqu'un nous a devancés.

Je surprends le garçon d'étage en train de nous espionner par le trou de la serrure. Pris en flagrant délit, il accepte de coopérer. À sa manière : il ne se rappelle pas si Anissa était sortie seule ou accompagnée le jour où elle a été tuée, jure sur la tête de sa mère qu'il la prenait pour une fille de douairière et qu'il ignorait absolument tout de son tourne-manège.

Le reste du personnel sort du même moule. Habitué aux gros pourboires, il a pris le pli de ne recouvrer la mémoire qu'en fonction de la générosité des nostalgiques.

Le directeur de l'hôtel se contente d'écarter les bras. Il ne se souvient même pas de la petite. Pour lui, le client est un outil de travail. Il fait tourner la boîte au même titre qu'un groom ou un câble d'ascenseur. C'est un numéro de chambre, une note qui relève de la comptabilité. Comment il s'habille, ce qu'il manigance dans ses quartiers ne sont pas les oignons de la maison.

Étant interdit de séjour du côté des Limbes rouges, j'ai eu l'ingénuité de charger Lino de fureter dans les parages. On ne sait jamais : une indiscrétion pourrait ne pas tomber dans l'oreille d'un sourd.

Lino est revenu bredouille, l'œil et les poches révulsés. Ça ne me désappointe pas outre mesure. Lino trouverait l'océan à sec si on venait à solliciter ses compétences de sourcier.

Serj passe le reste de la journée à consulter ses archives. Parallèlement, je me faisande dans mon box, le doigt dans le nez, peu attentif aux prouesses d'un cancrelat aux prises avec les lacets de ma chaussure.

Par la fenêtre, le soleil m'épie de guingois. Au loin, sur sa colline, drapé dans un suaire d'embruns, le colosse de Maqam hésite à se jeter à la mer.

À l'instar des braves de ce monde qui, à défaut d'admettre leur incompétence, font semblant de réfléchir alors qu'ils sont en train de s'assoupir, je feins le préoccupé. Un chef, quand bien même il ronfle à tue-tête, ne dort pas ; il rumine, il transcende, il veille au grain.

Au moment où je commence à m'étioler dans les bras de Morphée, Serdj vient gâcher mes rêveries, une photo racornie à la main :

— Il y a peut-être un rapport.

Sur la photo, on voit Anissa au bras de Haj Garne au cours d'un gala. Elle rit d'une oreille à l'autre, resplendissante d'aise. En arrière-plan, je reconnais la figure aride de la patronne des Limbes qui suit étroitement Mourad Atti.

— Ça nous avance à quoi ? fais-je excédé.

Serdj contourne mon bureau pour se pencher par-dessus mon épaule.

— Elle a été prise le 29 janvier.

— Et alors ?

Ma verve en perte de vitesse le désarçonne.

— Anissa s'appelait Soria Atti. Mourad, c'était son cousin.

Je porte la main à ma bouche pour comprimer un bâillement.

Serdj s'éponge dans un mouchoir. Il constate

combien je suis démotivé et ne sait pas s'il doit reporter son rapport à plus tard ou le poursuivre.

Je l'encourage :

— Continue.

— La nuit du 29 au 30 janvier, un certain Abbas Laouer a chopé un infarctus alors qu'il se faisait torturer pour le fantasme dans une chambre du cabaret. Son kinésithérapeute, c'était Anissa.

— Écoute, bonhomme, tu commences à me filer le tournis à force de graviter autour du pot. Va droit au but, c'est le plus court chemin.

La schizophrénie d'un supérieur n'excusant pas la mutinerie, Serdj fait contre mon inconvenance bon cœur et explique :

— Abbas Laouer était le directeur de la Banque nationale. Il avait de sérieux problèmes. Ses coffres déploraient un trou de cent vingt millions de dollars. Sa mort a fait la une de la presse. Certains journaux sont allés jusqu'à avancer la thèse d'un assassinat déguisé.

J'ai eu vaguement vent de l'affaire, à l'époque. Les histoires de détournement de deniers publics sont monnaie courante, chez nous. Depuis le fameux « soundouq at-tadamoun » (fonds de solidarité) créé au lendemain de l'indépendance, jusqu'au formidable téléthon au profit des hospices, en transitant par la scandaleuse affaire des 26 milliards, c'est devenu le fait divers dans sa mortelle banalité.

Devant ma lassitude, Serdj prend un raccourci.

De son doigt maculé d'encre, il tapote le visage de Mourad Atti.

— La petite savait sûrement un brin sur la mort de son cousin. Elle s'est peut-être sentie menacée à son tour ou bien a-t-elle simplement perdu les pédales. C'est la troisième fois que la carte des Limbes nous saute à la figure. À mon avis il faut en toucher deux mots au commissaire Dine. C'est lui qui enquêtait sur la mort d'Abbas Laouer.

— Dine est chez les fous.

— Il a quitté l'asile, il y a un mois. J'ai vérifié. De toute façon, on n'a pas le choix.

Dine me reçoit dans son appartement miteux, dans les HLM. Il a pris un sacré coup de vieux. Son embonpoint a foutu le camp. Sa jovialité aussi. Échevelé, de la grisaille dans le regard, on recueillerait de la flotte au creux de ses joues.

C'est un homme défait, évidé, qui titube et renifle ; une loque qui se dilue dans la pénombre de la pièce.

Nos retrouvailles ont la froideur des confrontations. Il n'a pour moi ni poignée de main, ni sourire. J'ai le sentiment de déranger un certain ordre. En m'asseyant en face de lui, nulle part je ne trouve la force de lui demander comment il va.

Sur la table qui nous sépare, une bouteille d'alcool s'enrhume au culot près d'un cendrier plein comme une urne. Autour de nous, c'est la pagaille : matelas au ras du sol, savates retournées, assiettes sales, poussière, mauvaise odeur…

Dine retrousse d'abord son pyjama pour se gratter le mollet. Sa jambe a une blancheur malsaine. Ensuite, d'une main tatillonnante, il ramasse un paquet de cigarettes par terre.

— Tu as retrouvé ton enthousiasme de locomotive ?

— Ça me change de l'haleine des fumiers. Désolé, j'ai pas de café à t'offrir.

— C'est pas grave. Tes gosses ne sont pas là ?

— J'aime pas les voir gueuser à portée de mes gueules de bois. Je les ai expédiés à Oran.

J'opine du chef.

— Nous traversons *tous* des zones de turbulences.

Il ne fait pas cas de l'apostrophe.

Sa voix avinée répète :

— Zones de turbulences.

Il s'abandonne dans son fauteuil usé, s'amuse à faire des ronds avec sa fumée. Un instant, un sourire idiot fleurit sous sa moustache. Subitement, il fronce les sourcils comme s'il venait de s'apercevoir de ma présence.

— Pourquoi t'es venu, Llob ?

— Tu es pressé que je débarrasse le plancher ?

— On peut rien te cacher.

Je me lève, vais devant la fenêtre.

Dehors, Alger se désintéresse de la Méditerranée. Disloquée sur ses collines, elle fixe le soleil, telle une basse-cour sinistrée, un grain de maïs inaccessible. Quelques bateaux mouillent au large, taciturnes et méfiants. Les rivages du pays ne sont plus ce qu'ils étaient.

En bas, dans la cour ravinée de la cité, deux gamins esquintent le rétroviseur de ma Zastava. Un troisième gambade sur la voiture et glisse sur le capot en s'esclaffant.

— Pourquoi t'es venu ?

Je me retourne.

Dine s'allume une autre cigarette avec le mégot de la précédente. Ses mains sont fiévreuses. On dirait une mémé raboutant son dentier.

— C'est au sujet des Limbes.

— Je suis plus dans le coup.

— Moi, si.

Il contemple sa cigarette, se perd une seconde dans ses hantises.

— C'est un stand de tir, Llob. Y a trop de snipers.

— C'est pour ça que tu as décroché ?

— J'ai cinquante-deux piges, huit bouches à nourrir et pas un sou de côté.

— On t'a menacé ?

Il rejette la tête dans un rire maladif.

— On ne menace pas les moins-que-rien. On leur envoie deux galopins plus jeunes que leurs propres gosses, et l'affaire est classée.

— Qui ça, « on » ?

— Ça, c'est ton problème. J'ai rendu le tablier. Je me lève quand je veux, dors quand j'en ai envie, et même si je ne mets pas tous les jours le nez dehors, j'ai la consolation de ne pas prendre mon ombre pour un terro.

Il écrase hargneusement son mégot dans le cendrier. Ses mains s'empoignent, se rabattent sur ses genoux. Pendant quelques minutes, j'ai droit à de curieuses pantomimes. Puis il retrouve un soupçon de sa lucidité, se décontracte.

— Ces gens-là n'ont pas plus de scrupules qu'un concasseur, dit-il comme pour lui-même. Là où tu oublies un doigt, là où tu laisses traîner le pied, et tu n'as même pas le temps de réaliser la gravité de ton imprudence. On te ramassera à la petite cuillère. Ils ont des pions partout, dans l'administration, parmi tes collègues, dans ton armoire… Ils t'écraseront comme une mouche.

Il se frotte l'index contre le pouce dans un geste mystique.

— Comme ça, avec juste deux doigts. Et après, tu n'es plus là. Effacé. Désintégré… Tu dois te demander si je n'aurais pas mieux fait de rester encore un peu chez les dingues. Eh bien, t'as raison. Il faut être niqué de la tête pour oser remuer la merde des dieux.

Il cherche autour de lui, hébété, une perle au bout du nez. Son paquet de cigarettes est vide. Il le froisse d'une étreinte fulminante, le balance contre le mur…

Le flic dont je m'enorgueillissais ne m'inspire plus qu'une troublante compassion.

Pour lui lâcher du lest, je retourne devant la fenêtre. Le quartier se cache derrière ces immeubles sordides, honteux et effarouché à la fois. Les trois gamins se sont déportés sur une autre voiture.

— Tu n'as pas un reste de dossier qui traîne ?

— Tu n'en auras pas un feuillet. Si tu tiens à miser ta vieille peau de con, ce sera sans ma bénédiction.

— J'ai des noms sur mon bureau. Faut que j'établisse le lien entre eux.

— Te fatigue pas. J'suis plus dans le coup. Maintenant, débarrasse le plancher. C'est l'heure de mes pilules.

Je n'insiste pas.

Il me rattrape sur le palier.

— Y a trop de magouilles, Llob. Tu n'es pas de taille. Les Limbes, c'est un champ de mines. Ces gens ne laissent rien au hasard. Ils ne savent ni reculer, ni hésiter, et ils ne font pas dans les concessions. Réfléchis, tu n'es pas obligé. Faut faire la part des choses. Y a des trucs qu'on traite, et d'autres qu'on évite comme la peste.

— Je fais mon boulot. S'il arrive que l'on dérape au beau milieu d'un parcours, ce sont les risques du métier.

Il me menace d'un doigt tremblotant.

— Je t'aurai prévenu.

— Arrête de fumer, Dine. Arrête de boire surtout.

12

L'humoriste Aït Méziane vient d'être assassiné. Il déposait sa fille au collège lorsque deux individus armés lui ont tiré trois balles dans la nuque… Un bruit de friture, et le speaker ajoute quelque chose que je ne saisis pas.

La nouvelle me frappe de plein fouet.

Je reste penché sur les lacets de mes chaussures, incapable de finir de m'habiller.

Dans ma tête recouverte d'épines, des éclats de souvenirs fulgurent : une cour d'école, où, enfant, la victime s'initiait aux pitreries ; un coin de classe où l'instituteur le coiffait d'une couronne en papier surmontée de deux oreilles d'âne ; les planches d'une scène rudimentaire sur lesquelles il s'apprêtait à conquérir le cœur des gens, puis la salle d'accueil du Central où il était venu fendre le mien.

— Purée !

Mina baisse le son de la radio. Elle sait combien Aït comptait pour moi. Ses yeux s'embrouillent. Elle s'adosse contre le mur et crispe ses poings.

Sans mot dire, je reprends mes lacets, me lève, enfile ma veste et passe dans la cuisine. Sans mot dire, je mets deux sucres dans mon café, de la confiture sur ma tartine et déjeune en contemplant une éraflure sur le carreau.

Trois coups de klaxon m'annoncent l'arrivée de Lino.

Sans mot dire, j'essuie ma bouche dans un torchon, regagne la cage d'escalier en oubliant de refermer la porte derrière moi.

Le soleil débusque les ultimes poches de résistance de la nuit retranchées au fond des portes cochères. Ses lumières galvanisées ricochent sur les vitres, s'éclatent sur la carrosserie des voitures, se défoulent en une multitude de feux follets sur les trottoirs lubrifiés de rosée, et pas une flammèche ne réussit à éclairer l'œil des passants.

Les gens s'entrecroisent dans un froufrou inaudible, l'esprit ailleurs, le pas somnambulique. Quelque chose dans leur démarche trahit un profond renoncement. Ils ont l'attitude de ceux qui boudent le Messie. Ils ont le silence de ceux qui ne s'entendent plus.

Lino m'ouvre la portière. Il ne dit pas bonjour. Il sait que je *sais*.

Sans mot dire, nous nous frayons un passage dans le brouillard.

Au bureau, Serdj m'apprend que l'un des deux assassins d'Aït Méziane a été arrêté. Tout de suite, je me suis imaginé en train de le bouffer cru.

En échouant dans la cellule où il était retenu, je me suis dégonflé.

Il est là, tapi dans un coin, livide et frileux. Un adolescent à peine plus haut qu'un fusil. Visiblement dépassé par la tournure des choses. Son regard d'oiseau piégé se débat dans tous les sens sans effleurer le mien.

Il trémule, les mains entre les cuisses, deux limaces sirupeuses et élastiques sur les lèvres.

Je comprends immédiatement qu'avec lui comme guide, on n'est pas près de sortir de l'auberge.

Il commence par nier en vrac. Au bout d'une demi-heure, il flanche : il travaille comme apprenti mécanicien, place de la Gare. Au début, *on* lui confiait une bricole par-ci, un message par-là. Ensuite, on l'a chargé de donner l'alerte dès qu'un « taghout » du quartier rentrait chez lui. Il devait accrocher sa veste sur le battant de la porte.

— C'est Didi qui tire. Moi, je lui indique la cible et j'fais le guet. Après le coup, je cache l'arme dans l'atelier. Quelqu'un viendra la récupérer dans la soirée.

Il a été recruté au lendemain d'une rafle dans la cité, il y a cinq mois. Il revenait du bain. Des flics l'ont jeté dans un panier à salade. Trois heures au poste. On ne l'a pas brutalisé, mais on a pris sa filiation et ses coordonnées. Pour Didi, il s'agit de la liste noire. « Tu es cuit », qu'il lui a hurlé, Didi. « Un jour, quand ils n'auront plus personne à se mettre sous la dent, ils viendront te chercher. »

— J'savais pas qu'il me faisait marcher, gémit-il. Didi m'a promis de veiller sur moi. Il me refilait des sous et m'emmenait au stade. Il disait qu'on était frères et que Dieu bénissait nos activités. Il me faisait garder des sacs chez moi.

Puis ça a été un revolver. Puis ça a été tout de suite un voisin, un retraité de la télé.

— Tu as participé à combien d'attentats ?

— Seulement trois, je le jure. Pas un de plus. C'est Didi qui les butait. Je sais pas glisser une balle dans un barillet.

— Qui était la deuxième victime ?

— Jamal Armad. Didi disait beaucoup de mal de lui. Il disait que ce type, c'était Satan, qu'il écrivait des obscénités et qu'il pervertissait la jeunesse.

— Où est Didi ?

— Je l'ignore. Il m'a jamais montré où il habite. Lorsqu'il a un boulot pour moi, il passe devant l'atelier. Je le rejoins dans un café, à deux cents mètres. Il m'explique le topo et me fixe le rendez-vous. Après, il prend une direction et moi une autre.

Dans l'après-midi, Serdj me soumet un portrait-robot.

Vous vous souvenez du médor aux muscles dopés qui posait à l'entrée des Limbes rouges ?... Ben, c'est lui, Didi.

. L'enseigne au néon des Limbes bigarre la chaussée de traînées sanguinolentes. Par intermittence, la porte de la boîte coulisse sur une flopée de musique aussitôt happée par le vent. Une bruine pleure les belles veillées d'antan et les arbres s'arrachent les cheveux dans une hystérie grand-guignolesque.

Les bandes de copains qui rigolaient aux étoiles, les rues insomniaques et le speech des ivrognes se chamaillant avec leurs propres hallucinations, tout a disparu.

La rue des Lauriers-roses n'est plus qu'un lac d'absence et de déréliction que le cabaret hante telle une île maléfique.

Il y a à peine quelques mois, des kiosques jalonnaient l'esplanade jusqu'au cœur du marché. Des noctambules déambulaient paisiblement en comptant les lumières du port. Il y avait des ringards qui se racontaient leurs quatre cents coups et d'autres, flippés, qui rêvaient de pays de cocagne. Ce n'était pas tout à fait le paradis, mais c'était moins triste que l'enfer qui s'en est suivi.

Ce soir la rue des Lauriers-roses ronge son frein. Ses immeubles sont en faction. Plus de marchands de brochettes, plus de gigolos en quête d'adultère doré. Les gens se calfeutrent chez eux en retenant leur souffle. Une vaisselle qui casse chez le voisin a vite fait d'alarmer l'ensemble du quartier.

De temps à autre, entre deux patrouilles de police, une voiture fantomatique chuinte sur la chaussée gorgée d'eau, s'arrête devant le night-club. La porte du cabaret se referme, et l'univers est rapidement livré aux lamentations de la pluie et aux contorsions des arbres.

Nous sommes garés dans l'angle de la rue, au

pied d'un lampadaire éborgné. Nous grillons nos cigarettes au gré de notre déplaisir. Dans la bagnole aux vitres entoilées de buée, Lino reproche aux aiguilles de sa montre de tourner en rond. Pour lui, s'enfermer dans un tacot fétide, à l'étroit sur un siège pourri, à espérer que sorte le petit oiseau, est une sanction. Il m'en veut de le mobiliser à une heure de couvre-feu et s'estime ainsi arbitrairement surexploité.

Lino se court-circuite inutilement. Lorsqu'une idée vient à se visser dans ma tête, un arrache-clou se casserait les dents dessus.

Le petit oiseau sort vers une heure du matin. C'est une gamine de vingt ans, belle comme un sourire, avec des yeux de biche et une sveltesse de volute. Elle danse du ventre mieux qu'un cobra.

Nous la laissons se lover dans sa Renault et filer le long du port. Après un barrage de gendarmerie, nous traversons un bas quartier aux allures de cimetière indien, contournons une partie de Bab el Oued où le petit peuple fornique ferme pour se tenir au chaud, escaladons la route sinueuse qui mène sur les hauteurs de la ville. Sans crier gare, les taudis s'évanouissent et nous débouchons brutalement sur un petit éden pavoisé de villas cossues, de chalets suisses et de jardins suspendus.

Lino, qui a été élevé à proximité d'un dépotoir, n'en croit pas ses yeux. Il pivote du cou à se forer les vertèbres, subjugué par les demeures somptueuses qui ont choisi de déployer leur sans-gêne à deux pas de la misère des ghettos.

— Putain ! Vise-moi ces forteresses, commy. J'espère que tu nous a procuré un visa. On est où, là ? M'est avis que tu as dû appuyer un peu fort sur le champignon. On a traversé le mur du son.

Je ne dis rien. J'essaie de me concentrer sur la Renault pour ne pas regarder.

Lino a carrément un pont-levis coincé dans la gueule. Le pauvre ! il n'a pas encore pigé que dans son pays chéri tout le monde se démerde pour bâtir un palais pour ses rejetons et personne ne consent à leur élever une patrie.

La Renault monte sur le trottoir, glisse dans un garage et éteint ses feux.

Je confie à Lino :

— Maintenant que nous savons où crèche la petite amie de Didi, je te charge de surveiller la maison vingt-quatre heures sur vingt-quatre.

Son pont-levis cède et son menton en galoche se rabat sur sa poitrine.

Je le console :

— Ça te changera de la laideur de ton gourbi.

Lino a passé une semaine à fureter autour de la danseuse sans déceler l'ombre de Didi. Entre-temps, il a reconnu un dealer que la gamine reçut à deux reprises. La première, au lendemain de l'assassinat d'Aït Méziane. La deuxième, dans une Mercedes que pilotait un albinos.

Au bout d'un chapelet d'acrobaties, nous avons réussi à localiser la tanière du dealer.

Avec Lino, Serdj et Chater, nous avons décidé de lui rendre une petite visite de courtoisie. Serdj et Chater devaient nous couvrir à partir d'un café, en face d'un cul-de-sac. Le binoclard et moi avons fait le mur pour atterrir dans la cour d'un entrepôt désaffecté.

Des gosses sont là, dressés sur des barils, et concourent à celui qui pisse le plus loin. Un reste de tracteur rouille dans un recoin, recouvert de poussière et d'excréments. Nous nous engouffrons dans le hangar. Lino manque de se défigurer sur une marche.

— Y a ma main sous ta godasse, la taupe ! geint un clodo de sous un tas de chiffons.

Nous le prions de nous excuser et progressons vers un capharnaüm en putréfaction. Une petite porte dissimulée sous un escalier métallique nous dégueule sur un passage si étroit qu'il nous faut avancer l'un derrière l'autre. En bas, un taudis rumine son infortune. Deux enfants en bas âge jouent avec une bouteille de gaz sous l'œil distrait d'un vieillard. Une lucarne vient à notre rescousse pour nous conduire sur un palier que je ne souhaiterais pas à mon éditeur algérois. Pas de rampe, pas d'éclairage, juste des marches défoncées suspendues dans le noir, prêtes à vous jeter dans le vide.

La lourde qui nous intéresse moisit au fond du couloir. À gauche, on entend brailler un bébé. Je sors mon flingue et fais sauter la serrure d'un coup de pied.

— Police !

Un fracas de table, deux jurons, et une pétoire crache dans notre direction.

Je fonce le premier en tirant au hasard. Un rideau en haillons nous fait des adieux. Le dealer se taille par les toits. Il n'est pas seul. Un pied-bot sautille derrière lui, la fesse entièrement devant.

— Police ! arrêtez-vous…

Un groupe de femmes suspend l'étendage de son linge et se disperse en piaillant. Le pied-bot se prend la patte dans un seau, tombe, nous expédie une décharge de chevrotine. Lino riposte et l'atteint à l'épaule.

Le dealer revient donner un coup de main à son pote, tergiverse devant notre progression, pèse le pour et le contre. Finalement, il brûle la cervelle de la patte folle et pique par une buanderie.

— Prends par l'escalier, crié-je à Lino.

Le lieutenant se volatilise.

Après la buanderie, il y a une autre terrasse. Une cage dégringole dans un immeuble horrible. Les femmes hurlent derrière leurs portes. Je descends aux enfers, les genoux en coton.

— Rends-moi mon enfant, sanglote une mère. Il est malade. Laisse-le tranquille.

Le dealer est dans l'impasse, un gosse en bouclier. Lino remue ciel et terre pour retenir la mère à l'abri.

— Relâche le petit, dis-je au dealer.

— C'est toi qui vas te magner le cul d'ici, la grosse.

Ses yeux luisent d'une drôle de jubilation.

— Tu l'auras sur la conscience, me prévient-il. Moi, j'ai rien à perdre. Un geste, et la frimousse du chérubin va pas être jolie à contempler.

Et il ricane.

Je connais ce genre de cinglé. Si je baisse mon flingue, il me canarde et se tire avec le gosse. Si je le tiens en joue, je gagne du temps pour réfléchir.

Lino tente une diversion.

Le dealer le corrige d'un tir croisé.

— Pas bouge, tas de merde !

— Si tu touches à un seul cheveu du petit, je jure de te découper en rondelles.

Il fourrage rageusement dans les cheveux du gamin.

— T'as perdu, grosse tarte. Tu vas jeûner trois jours d'affilée. En attendant, range-toi sur le côté et balance ton joujou.

Derrière lui, la tronche de Serdj pointe en haut du mur.

— D'accord, fais-je en écartant doucement le bras. Lâche le petit…

— Ton joujou par terre, et que ça saute.

Serdj me fait signe d'accepter.

Mon ventre s'entortille. Mon dos cascade d'une rinçure urticante. Le dealer continue de ricaner, et c'est son sourire froid et cynique qui me fout les jetons.

— Dépêchons, flic de mes deux !

Le flingue m'échappe. Je ne sais pas ce qui s'est passé. Comme dans un rêve, je vois le dealer pousser le gosse vers Lino pour protéger son flanc, lever le canon dans ma direction. Un coup de feu… Longuement, j'attends de m'écrouler. Le dealer ne bronche pas. Il ricane, ricane, puis ses dents rougissent et un filament de sang se met à pendouiller aux commissures de sa bouche. Il pivote au ralenti et s'abat contre le pavé.

Serdj saute du mur, éloigne du pied l'arme du dealer avant de se pencher sur lui.

— Il respire encore. Une ambulance, et vite.

Le dealer est un certain Slimane Abbou. La balle de Serdj lui aura traversé un poumon sans occasionner de gros dégâts. D'après le toubib, il doit rester en observation. Je lui ai promis de le tenir à l'œil.

Une perquisition chez lui nous a permis de mettre la main sur un fax, deux fusils de chasse à canon scié, des munitions, un attirail pour la fabrication de bombes artisanales, des manuels pour la manipulation des explosifs, des tracts signés Abou Kalybse et une liste recensant vingt-trois intellectuels dont huit cochés d'une croix parmi lesquels figurent le poète Jamal Armad, Sissane Miloud de la télé et l'homme de spectacle Aït Méziane…

Ou Abou Kalybse déteste mon style ou bien il ne lit pas de polars car je ne suis pas nominé à son festival.

13

Omar Malkom dit Iks tient un magasin d'électroménager dans un quartier tranquille. Sa boutique rayonne sur le trottoir, agréablement décorée, avec une immense baie vitrée et un portillon qui carillonne quand on le pousse.

Il est en train de griffonner dans un registre, une pile de bons de commande sur le côté.

Serdj referme la porte, retourne l'écriteau *open* sur *closed* pour qu'on ne nous dérange pas et croise les bras.

— C'est combien le frigo ? m'annoncé-je.

Omar lève la main pour ne pas être déconcentré, tape sur une calculatrice et vérifie sur ses fiches en tirant la langue à la manière des écoliers.

C'est un Noir de gabarit respectable, les poings capables de faire avaler son dentier à un âne. Il porte un trois-pièces de banquier, une montre enchâssée dans une gourmette en or et des lunettes Ray Ban fantaisie. Son crâne est sévèrement tondu sur les tempes avec juste un petit carré de poils badigeonné d'un vert phosphorescent au-dessus du front.

— Tes comptes sont bons, le punk ?

Il repose son stylo, à contrecœur.

— Quel frigo ?

Je lui présente ma carte de « taghout ».

— La maison n'accepte pas ce genre de carte de crédit. Ici, on paie rubis sur l'ongle.

— J'suis un stressé.

Il porte une main embarrassée à son front.

— Des flics, manquait plus que ça. Vous allez attirer la poisse sur mon commerce. On vous connaît dans les parages ? Si c'est le cas, va falloir que je déménage.

— Y a pas le feu, le rassure Serdj.

Il s'extirpe de son comptoir et va rabaisser les stores en se dandinant.

— C'est pour m'arrêter ou pour bavarder ?

— Ça dépendra de toi.

Il se marre dans un smurf :

— Tsst ! j'suis vacciné.

— Un rappel, c'est pas déconseillé.

Il revient me scruter, se tortille le croupion et retourne derrière sa barricade. À sa désinvolture débridée, il est sûrement fana de Spike Lee.

— Écoute, kho, j'suis réglo. Mon registre du commerce est aussi droit que le Code pénal.

— Mourad Atti, c'était ton copain.

Pas une fibre de panique sur son visage d'ébène. Calmement, il lisse sa calculatrice.

Après une minute de silence à la mémoire du disparu, il dit :

— C'était plus qu'un copain. Seulement il avait sa vie, et moi la mienne. Si vous pensez que j'ai quelque chose à voir dans ce qu'il lui est arrivé, vous vous gourez. Moi, kho, je fais des affaires. Honnêtement. Pour du fric, je retrousse les manches, sans jamais dégainer. J'suis pas un meurtrier.

— Ton dossier avance que tu as touché à l'intégrisme, teste Serdj.

Omar éclate d'un rire surfait.

Il se remet à se déhancher.

— C'est pas mon rayon, kho. Tu m'imagines dans une robe de berger afghan, moi qui adore bien me saper ?

— Tu flirtais avec Mourad…

— Stop ! Mourad était mon pote, kho. Un môme de mon patelin. On crevait de faim et on se serrait et la ceinture et les coudes. Nous sommes nés dans une même fondrière et nos mères trimaient chez le même courtier. À l'époque, on ramait pas large. Des broutilles. Juste de quoi changer de caleçon et casser la croûte chez le gargotier le moins cher de la ville.

Il est triste. Ça le chagrine de remuer le passé.

— C'était pas beau, ajoute-t-il. On n'osait pas se prendre en photo.

— C'est pourquoi tu te shootais au kif.

— Je touche pas à cette saloperie. Le rêve, je le consume lucide, kho. Qui vous a raconté ces conneries ?

— Slimane… Slimane Abbou, anticipe Serdj.

Omar fronce les sourcils.

— Jamais entendu parler.

— Il revend de la came au niveau de la Casbah.

Il fait non de la tête.

— Connais pas.

Je lui glisse le portrait-robot de Didi sous le nez.

— C'est pas un héros de bande dessinée, l'avertis-je.

Il fait la moue, se débourre l'oreille, prend son temps.

— C'est le Rambo du cabaret de la rue des Lauriers-roses ?

— Dans le mille.

— Je le croise de temps en temps sur le front de mer. On se dit pas bonjour.

— Tu l'as plus revu, ces derniers temps ?

— J'ai pas fait attention.

— Et Brahim Boudar ? le brusque Serdj.

Il n'est pas brusqué, Malkom dit Iks.

Il répond d'un air détaché :

— C'est qu'une crotte. On s'est connus en taule. La promiscuité, quoi. C'est pas mon genre.

— Il est mort.

— C'est pas trop tôt.

— Pourtant, avec Boudar, Daho Lamine et Mourad Atti, ça gazait pour vous.

Il m'arrête. Sa main encombrée de bagues me voile la figure :

— Entendons-nous bien, kho. Ne confondons pas ramadan et chaabane. Daho Lamine, c'était le rupin, un vrai filon pour Mourad et moi. La première fois qu'on a mis les pieds dans un vrai resto, c'était avec lui. Il gérait une filière de contrebande et nous proposait des trucs simples : porteurs de valises. Juste des fringues. Un saut à Alicante, un autre à Marseille ou à Damas, et une enveloppe consistante au retour. C'est comme ça que je me suis payé une petite boutique au bas de la rue des Oiseleurs. Hé ! kho, j'assumais les risques. Quand les douaniers m'interceptaient, je rouspétais pas. On n'a rien pour rien.

— Daho s'adonnait au trafic d'armes…

— Ça le regardait. C'est pas mes oignons. Moi, je faisais dans les fringues. Pas de stup, pas de bagnoles. Juste des fringues.

J'acquiesce du chef.

Serdj s'approche pour me relayer.

— Comment ça a été, octobre 1988 ?

Avec le doigt, Omar lui signifie qu'il le voit venir.

Il esquisse un pas de danse, laisse couler son sourire laiteux et raconte :

— Mourad m'a trouvé dans ma boutique. Il était excité. Il m'a dit « Tu me fais confiance ? »

J'ai dit « Je demande à voir d'abord. » Il m'a dit
« On va foutre le bordel dans la ville. » J'ai dit
« C'est déjà le bordel. » Il m'a dit « Justement. Va
y avoir du grabuge grande échelle. La rue va se
rebiffer. Du gâteau. Tu investis dans une boîte
d'allumettes et tu rentres à la maison avec vingt-
cinq briques. » À l'époque, vingt-cinq briques,
ça ne vous élevait pas une façade, mais ça faisait
démarrer le chantier. J'ai dit « Adjugé ! » Deux
jours après, la rue débordait de partout. On a mis
le feu à des magasins et à des bus. On nous a
arrêtés et écroués. De ce côté, j'ai payé cash,
sans remise de peine.

— Qui était derrière le grand bordel ?

— Tu me déçois, kho.

— Et après ?

— Après quoi, kho ?

— Daho Lamine s'est converti en intégriste.

— On ne portait pas la même chéchia.

— Mais tu savais ce qui lui trottait dans la tête ?

— Ça crevait les yeux. Daho négocierait avec
Méphistophélès. Il assurait ses arrières. On misait
gros sur les intégristes et il ne tenait pas à être
pendu à un gibet avec les renégats.

— Et Brahim Boudar ?

— Un tueur-né, fait-il en balayant l'air d'un geste
dégoûté. Déjà gosse, il martyrisait les chats et les
chiens. Pas un cabot ne se risquait dans notre patelin… Bien sûr, il a cherché à me recruter. Je lui ai mis
les points sur les i. Pas de sang sur les mains. Votre

frangin, kho, c'est comme le moineau : il fait son nid, petit à petit. J'sais qu'il y a un tribunal, là-haut. Je l'avais dit à Mourad aussi. Mais Mourad adorait la frime. Il prenait sa revanche sur la fondrière. De la religion, il retenait pas un seul verset. Il croyait en un seul dieu, le seul dieu qui n'a pas besoin de prophètes pour lui faire de la pub : le pognon !

— Serdj n'est pas convaincu.

Il relance :

— D'habitude, les intégristes éliminent ceux qui ne marchent pas dans leurs combines.

— Je me suis démarqué tôt. Dès l'arrêt du processus électoral, j'ai senti que ça allait mal tourner. Y avait trop de manipulation dans l'air.

— C'est-à-dire ?

— Difficile à expliquer. Ça me plaisait pas. J'imaginais mal des types au bar et au minbar[1] en même temps. C'était pas sunnite. Des truands notoires en kamis de mollah, ça ne me disait rien de bon. C'était comme si un cheval de Troie envahissait les mosquées... Écoute, kho, j'suis ni flic, ni reporter ; j'suis commerçant.

— Tu n'as aucune idée sur la mort de Mourad ?

— Mille et une idées. Mourad courait les jupons. Il sautait et les pucelles et les épouses. Forcément, il collectionnait les jaloux.

— Il ne t'a jamais parlé d'un certain Abou Kalybse ?

1. Minbar : chaire dans une mosquée.

116

— Il n'avait pas besoin de le faire. Abou Kalybse, c'est l'émir en vogue. Des affiches à lui sont placardées partout. On raconte qu'il s'attaque uniquement aux intellos.

— Mourad le connaissait ?

— Écoute, kho, on ne va pas y passer la nuit. J'ai pas qu'ça à faire. Mourad ne me confiait pas tout. Il venait surtout m'en mettre plein la vue. Ça l'ennuyait de se la couler douce sans moi à ses côtés. Moi, je prends pas de risques. Petit à petit, et on tient à sa vie.

— Abou Kalybse… Contente-toi de répondre à la question.

Omar vibre des épaules, passe une grosse langue sur ses lèvres et fait tinter ses bagues sur son comptoir.

Il s'assagit :

— Mourad le connaissait, c'est certain. Il disait souvent « Avec Abou Kalybse, chaque gramme de cervelle savante vaut son pesant d'or… » Mais il n'allait pas plus loin, dans les confidences… Ça va comme ça, kho ? De toute façon, j'ai vidé mon sac.

Je le remercie, prie Serdj de me devancer. Avant que l'inspecteur mette la main sur la poignée de la porte, je me retourne vers le cousin du Bronx :

— Un *nota bene*, et je signe. C'est quoi au juste les Limbes ?

Sa pommette frémit.

— La plus belle femme du monde ne peut

117

donner que ce qu'elle a, kho. Y a des tabous. Faut respecter. J'ai un gosse, et je tiens à lui.

— Tu as la trouille ?

— C'est ça. J'en fais dans mon froc, si tu veux savoir. Le dernier connard qui fréquente cette boîte a les couilles si énormes qu'un gabion ne suffirait pas à les contenir.

— C'est quand même bizarre. L'émir de la Casbah y trimait comme plongeur. Didi comme videur. Mourad, Brahim Boudar… C'est quoi, ce merdier ? Une fabrique de terros ?

Omar déglutit. Il a l'air mal à l'aise.

Il grogne :

— Faut que je ferme. J'ai été coop' et sympa, kho. Maintenant, du vent.

14

Un drôle de rêve m'a tenu en haleine toute la nuit.

Je cahotais sur une piste poudreuse. J'avais froid, et sur mon pare-brise la lune dégoulinait comme un camembert. Des arbres loqueteux et sinistres se détournaient sur mon passage. J'ignorais où j'allais.

Dans mon rétroviseur, deux yeux éteints m'observaient.

Au détour d'un pont, je tombe sur une interminable rangée d'intégristes, la poitrine boursouflée de cartouchières et la barbe aux genoux. Tout m'indiquait le chemin vers un bois où se côtoyaient autant de troncs que d'ogres ventripotents.

Tout à coup, mes phares s'arrêtent sur une espèce de Goliath armé d'une hache plus grande que ma frayeur. Au même instant, les yeux dans mon rétroviseur s'éjectent et viennent, dans un bourdonnement épouvantable, bouffer les miens.

J'ai hurlé… et Mina a sauté au plafond.

— J'ai cauchemardé, tenté-je de l'apaiser.

Elle s'est rendormie de suite.

Et moi, le cœur sur un brasero, j'ai égrené les minutes, une à une jusqu'à l'appel du muezzin.

Lino n'est pas venu me chercher. Je l'ai attendu une heure durant, transi derrière la fenêtre, un pressentiment nauséeux dans le gosier.

Un voisin consent à me déposer au commissariat.

Bliss m'attend sur le perron, un coing blet sur les épaules. Je comprends qu'un malheur est arrivé.

— Serdj est porté disparu, me fauche-t-il.

Mon service ressemble à une chambre mortuaire. Baya renifle dans un mouchoir, les paupières bouffies. Le planton évoque un fossoyeur. Les agents en uniforme écoutent tristement les agents en civil.

On se tait sur mon passage.

Lino se déshydrate derrière sa machine à écrire, le menton dans les paumes, l'œil dans le vague.

— Que lui est-il arrivé ?

Bliss réagit :

— Le commandant du 13ᵉ régiment nous a signalé que la voiture de Serdj a été retrouvée incendiée du côté de Douar Nemmiche. L'inspecteur aurait été enlevé au cours d'un faux barrage.

— Qu'est-il allé foutre à Douar Nemmiche ? Tout le monde sait que c'est un véritable gogstan, que ça grouille de vermine intégriste.

— Il a reçu un coup de fil de son frère. Son père est décédé la veille.

Mes mains s'égarent. Mes genoux menacent de se dérober. Je m'affaisse dans un siège et sombre dans un état second.

J'entends vaguement Bliss ajouter :

— Le régiment est sur place. Il procède à un ratissage de la zone.

Une heure trépasse, une deuxième, une troisième…

Le directeur est désemparé. Il n'arrête pas de faire la navette du troisième étage au rez-de-chaussée, pour s'enquérir de la situation.

— Serdj ne se laissera pas faire, dit sourdement un agent dans le couloir.

— Sûr qu'il a riposté, psalmodie le planton. Serdj, c'est un homme. Il ne se laissera pas enlever. Sûr qu'il s'est défendu. S'il est mort, c'est qu'ils lui ont tiré dessus. Serdj, c'est pas un agneau.

Drôle d'époque ! Lorsqu'un collègue est tué par balle, on estime que c'est ce qui pouvait lui arriver de mieux — au vu des cadavres horriblement dépecés qui jalonnent la malheureuse terre d'Algérie.

Vers midi, le téléphone ulule, nous tétanisant tous.

Bliss me tend l'appareil.

— Le régiment.

Le combiné me brûle les poings.

— Commissaire Llob ?

— Oui.

— Commandant Hamid, du 13e régiment. Je suis désolé. (Je retombe dans le siège.) On l'a retrouvé dans un marabout.

J'ai envie d'écrabouiller le combiné, le bureau, le monde entier.

— Vous êtes là, commissaire ?

— Hélas !

— Sincèrement désolé.

— A-t-il souffert ?

— Il ne souffre plus. Ça ne le ramènera pas, mais mes hommes ont abattu trois des neuf ravisseurs. Nous continuons de traquer le reste du groupe.

— Merci, mon commandant.

Au moment où je raccroche, Baya se prend la tête à deux mains et lance très loin un hurlement insoutenable.

Le corps de Serdj est ramené tard dans l'après-midi.

À la morgue, le directeur me conseille énergiquement de laisser faire le chirurgien.

— Je préfère que tu gardes de lui l'image du bon coéquipier, Llob. Il est si amoché. On est en train de recoudre sa tête à son tronc.

Le lendemain, l'ensemble des collègues se retrouvent à Bab el Oued pour les funérailles. La rue pullule de voisins, de jeunes du quartier, de vieillards et de badauds. Le lieutenant Chater a déployé deux cordons de sécurité et placé des tireurs sur les toits alentour. Les terroristes nous ont habitués à des abjections inimaginables. Il leur arrive de tuer la mère uniquement pour piéger le fils le jour de la levée du corps et d'assassiner un flic pour mitrailler ses collègues venus se recueillir sur sa tombe.

Le directeur, des autorités locales et des officiers du 13ᵉ régiment ont tenu à présenter leurs condoléances à la famille du disparu.

J'arrive le dernier, à cause de Lino qui s'est volatilisé.

Un gosse joue avec une roue de bicyclette sur la chaussée, nullement impressionné par la foule. Il doit avoir cinq ou six ans. C'est le benjamin de Serdj, m'apprend un oncle. Il ne se rend pas compte que tous ces gens sont là pour lui.

On me conduit dans une maisonnette. Je comprends enfin pourquoi Serdj ne m'avait jamais invité chez lui. Il ne tenait pas à m'indisposer. Son taudis est tellement insalubre que les locataires paraissent plus frêles que les fantômes.

On confie l'ami à un cimetière délabré. Hier, on a enterré le père, aujourd'hui le fils. Ainsi va la sunna de la vie.

Quelqu'un m'a murmuré :

— Dieu est grand.

— L'enfer aussi, lui ai-je rétorqué.

L'imam a levé la fatiha. J'ai levé les yeux au ciel. Lorsqu'on a commencé à jeter la terre sur le corps de mon collègue, un nuage s'est arrêté sous le soleil et ça a fait comme un morceau de la nuit sur la carrière d'un flic.

J'ai cherché Lino toute la journée, chez Da Achour, dans les brasseries, du côté des bordels… Puis je me suis souvenu de l'arrière-boutique de Sid-Ali, un instructeur en retraite. Les gars de la promo se rejoignent le week-end chez lui pour siffler quelques litres et échanger les dernières anecdotes.

Sid-Ali passe le pouce par-dessus l'épaule.

— Il a très mal pris la chose, me confie-t-il.

— Il n'est pas le seul.

Lino est affalé sur la table, la joue sur le bras. Le nombre de canettes de bière renversées donne une idée de l'ampleur des dégâts.

Je toussote dans mon poing. Lino réagit mollement. Il fourrage dans sa tignasse ébouriffée, me sourit à travers une glace. Ce n'est pas tout à fait un sourire, juste la grimace d'un type qui n'arrive pas à réintégrer son élément.

Il secoue sa montre, la porte à son oreille.

— T'as donné à manger à ta tocante ? balbutie-t-il.

— Ma montre est à quartz.

— La mienne s'est arrêtée.

— La vie continue.

Bourré comme une pipe, Lino. Il s'évade carrément dans son costume débraillé. Ses gestes sont incohérents et sa langue coince contre ses gencives comme un loquet rouillé.

— Tu appelles ça une vie, commy ? Un sursis, tout au plus. Pourquoi t'es venu frelater mon vin ?

— Parce que ça sert à rien de se soûler.

Il renverse brusquement la table, vacille. J'essaie de le soutenir. Il balaie ma main d'un geste horrifié :

— J'suis encore capable de tenir sur mes jambes, ho ! Je tiens tellement droit dessus qu'à ma mort, faudra m'enterrer debout.

— Fais pas le con. On rentre à la maison.

— J'ai plus de maison.

— L'endroit est mauvais, Lino.

— Trouillard !

Il m'écarte, titube jusque dans la rue et, les mains en entonnoir, il se met à hurler :

— J'suis flic, hé ! J'ai pas peur. J'suis flic, venez me descendre.

Je tente de le calmer.

Il me repousse :

— Bas les pattes, toi ! Me touche pas, vu. Est-ce qu'il t'arrive de penser que tu peux être de trop ? Ce soir, tu m'encombres. Lâche-moi les baskets, d'accord ? Et arrête de me regarder comme si j'étais à plaindre. C'est toi qui es à plaindre. Tu te crois du bon côté. On est tout juste au bon ou au mauvais endroit. J'suis pas un héros. J'suis même pas sûr d'être un brave. Je refuse de croire à la culture des cimetières. Je veux sauver ma peau.

— Tu me raconteras ça plus tard.

Il recule en chancelant.

— T'es blanc comme un cierge, fait-il en se mouchant sur son bras. T'as plus une seule goutte de sang. C'est le quartier qui te chiffonne ? Je croyais que tu les avais en bronze. C'est fou comme tu me déçois.

Une pluie fine crachote dans la ville, mais ce sont les éclaboussures giclant de la bouche du lieutenant qui m'aspergent.

Un jeune barbu en kamis sort d'une parfumerie. Lino attend qu'il soit à sa hauteur pour lui balancer son poing.

— Espèce de sale terro ! asticot de charogne ! mollah de mes deux !

Je ceinture le lieutenant. Il se débat, se rue sur le frérot abasourdi. S'ensuit un échange de vocables orduriers, de coups de pied dans le vide et de crachats. Le frérot retrousse sa chéchia et les manches de son kamis. Je le happe d'une main et l'accule contre le mur.

— Casse-toi.

— Il est cinglé ou quoi ?

— Casse-toi vite avant que je t'encense avec les poils pubiens que t'as sur la gueule.

Je catapulte le lieutenant dans ma bagnole et démarre.

Durant le trajet, Lino s'est recroquevillé dans un angle de la banquette arrière, le menton entre les cuisses et les mains sur la tête, et il a pleuré comme dix mômes.

15

Jamais je n'avais soupçonné Lino capable d'un tel chagrin.

Pendant trois jours et trois nuits, il n'a pas dit un mot de gentil.

Absent à la cantine, boudant les briefings, il passe plus de temps à cuver ses peines à l'abri de sa machine à écrire qu'à s'intéresser au reste du monde. Je l'ai surpris à maintes reprises en train de soliloquer dans les toilettes, le nez contre la glace.

Je lui ai proposé une perm. Il a glapi, outré : « J'ai pas besoin de détente. On a l'éternité pour ça. »

Il s'est mis à chercher noise au personnel, trouvait immanquablement un prétexte pour gueuler. On ne le reconnaissait plus.

— Je sais ce que tu ressens, lui dis-je. Je ressens exactement la même chose. Serdj, c'était notre famille. La fatalité a voulu qu'il s'en aille le premier.

— Tu appelles ça fatalité ?

— Tu l'appelleras comme il te plaira. Ce ne sera qu'un constat : Serdj est mort. Il ne méritait pas de finir de cette façon. C'était quelqu'un de bien. Des fois, je trouve ça tellement injuste que je suis à deux doigts de perdre la foi. À moi aussi, il me vient des idées stupides. J'ai envie de sortir mon flingue et d'abattre le premier barbu sur mon chemin. Si je ne le fais pas, c'est parce que ça ne se fait pas. Je ne suis pas un assassin. Je ne veux pas tomber dans leur jeu. Nous devons rester nous-mêmes, des gens de petite condition, mais des gens de cœur.

Pendant une minute pleine, Lino ne trouve pas ses mots. Sa main va cogner sourdement dans l'autre. Son doigt se pose sur ma poitrine, cherche à la traverser.

Il dit :

— On ne me la fait plus. Je sais ce qui est

bien et ce qui ne l'est pas. La sagesse du terroir n'y changera rien. Le drame vient de la notion qu'ont certains des valeurs. Dorénavant, je n'en ferai qu'à ma tête.

Il claque la porte et s'en va.

Je ne peux pas grand-chose pour lui. À chacune de mes approches, il menace de me péter à la figure.

Un matin, au milieu d'une séance de travail, il a décidé de se recueillir sur la tombe de Serdj. Il n'est pas arrivé au cimetière. En chemin, il a brûlé un stop et il a cogné un agent.

Le quatrième jour, je l'ai sorti.

On est allés griller la merguez chez Da Achour.

Lino a fait bande à part. Il est resté sur la plage du matin à la nuit tombée, à lancer des cailloux aux vagues.

Après, ça s'est tassé. La mer l'a un petit peu calmé.

Slimane Abbou a retrouvé ses couleurs. Un pansement sur la poitrine, la main accrochée à une sorte de chasse d'eau, il grimace pour s'adosser contre l'oreiller.

Le toubib nous conseille de ne pas forcer sur la note car une complication pourrait survenir.

Je lui fais le serment d'être cool et attends de le voir se retirer pour approcher une chaise du grabat sur lequel notre dealer achève sa convalescence.

— Alors, ce poumon ?

— On l'a bricolé, mais j'ai des prises d'air par moments.

Lino préfère observer par la fenêtre les blouses blanches dans la cour.

Il grommelle sans se retourner :

— T'aurais dû lui apporter des sucreries, commy.

Slimane se trémousse.

— Il a une dent contre moi, ton planton ?

— T'occupe pas de lui. Et si tu nous racontais ton histoire depuis le commencement ?

— J'ai pas assez de salive. Et puis, avec mes prises d'air…

— On a fait un saut dans ton gourbi.

— Hé ! mollo. C'était pas mon gourbi. C'était celui de Moh Lakja.

— La patte folle que tu as butée ?

— C'était un accident. J'ai voulu le relever, et le coup est parti.

— T'as raison. C'était un accident. On était là, et tu peux compter sur notre témoignage.

Il ricane. Cynique à vous irriter les gencives.

— J'savais que t'étais un chic gars. Autrement, je t'aurais pas raté.

— Tu fabriquais quoi, chez Moh Lakja ?

— Je lui refilais sa dose.

— Il est blanc comme sa came, ironise Lino le nez contre le carreau.

Slimane s'énerve. Il se hisse sur un coude et braille :

— Ouais ! j'suis blanc et je t'emmerde. J'ai pas eu ta chance pour être officier de police ou cadre, moi.

— Attention, l'apaisé-je, tu vas faire sauter le bouchon de ta chambre à air.

À croire que mes propos l'ont stimulé. Il se dresse un peu plus et vitupère :

— Retourne-toi, l'enfoiré. Regarde-moi dans les yeux, si t'es un homme. Tu me méprises parce que j'ai pas d'instruction, c'est ça ? D'après toi comment on fait pour bouffer quand on n'a ni diplôme, ni boulot ? Est-ce que tu sais c'que c'est que de voir pleurer sa mère au moment où on passe à table parce qu'elle n'a rien à mettre dans la gamelle des p'tits ? Est-ce que tu sais c'que c'est que de devoir se réfugier dans le débarras toute la nuit parce que le père est rentré encore ivre ? Est-ce que tu sais c'que c'est que de faire l'élevage des zéros sur ses copies parce qu'à la maison il y a un tel bordel que ce serait vache de revoir ses cours ?...

— On n'est pas au tribunal, le freiné-je.

Slimane se tait, essoufflé.

Subitement, il éclate de rire. Un rire de forcené à vous glacer le sang.

— Pourtant, ricane-t-il, ça marchait à tous les coups avec le juge.

La moutarde commence à me monter au nez.

Je m'escrime à garder mon sang-froid. Slimane est une tête de mule ! Ça ne sert à rien de le lui rappeler.

— Tu es dans la merde jusqu'au cou, l'informé-je. Ton arme a été identifiée. Elle appartenait à un magistrat assassiné à Tamalous. Nous savons aussi que tu as racketté un tas de boutiquiers et enlevé deux sœurs. Tu vends de la came au profit des groupes armés. On a des preuves. Nous savons que Didi, c'est ton copain et Abou Kalybse, ton gourou.

Il écoute, les sourcils affectueusement ramassés, bat des paupières comme on fait comiquement les yeux doux, histoire de me signifier que mes propos l'amusent et qu'il se fiche royalement de ses antécédents.

— Ça va me chercher dans les combien, poulet ?

— Tu ne nous intéresses pas, toi.

— Comme c'est sympa ! Tout à l'heure, tu m'as foutu une de ces pétoches, dis donc.

— L'albinos, c'est un client à toi ?

— C'est un nom de code ?

— C'est le type qui pilotait la Mercedes. On l'a vu te déposer chez la petite amie de Didi.

— Tu veux parler de l'énergumène sans pigmentation. On les appelle albinos ? J'savais pas. À mon avis, c'est un gars de la Sécurité. Il me connaissait mieux que ma mère. Il m'a forcé à le conduire chez Yasmina. Yasmina ne savait pas grand-chose. Alors, il s'est fâché, l'albitruc, et il l'a cognée très fort. Il voulait remonter jusqu'à Abou Kalybse.

— Et il t'a épargné.

— C'est pas la même chose. On a fait un marché. L'albitruc m'a proposé la manne si je réussissais à lui indiquer une piste. J'étais passé chez Lakja pour négocier. Lakja n'était pas plus avancé. D'Abou Kalybse, on connaît seulement le crissement du fax… J'allais me ranger pour de bon, je le jure. Avec ma commission, j'envisageais de me dégotter un petit commerce, faire des enfants et tourner la page. Deux cents briques, qu'il m'a promis, l'albitruc. Et vous m'avez coupé l'herbe sous les pieds.

— Scuse, singe Lino, on était pas au courant.

Slimane contemple ses ongles en réfléchissant.

— C'est vrai que vous exécutez les terros ?

— À ton avis ?

— Je veux me repentir. C'est faisable ?

— Tu parles ! claque Lino.

— Sur la tête de ma mère, j'ai pas rencontré Abou Kalybse. Il me contacte par fax. Après, je passe prendre mes gages chez Didi.

— Où est Didi ?

— Aucune idée.

— Au maquis ?

— Didi, au maquis ? Il est incapable de survivre loin d'un bon plumard et d'une baignoire.

— C'est votre caissier ou quoi, exactement ?

132

— Une boîte postale.

— Et qui c'est le facteur ?

Là, Slimane se réveille en entier. Ses prunelles d'outre-tombe lancent des étincelles.

— Ça a un prix, ta question, le flic ?

— On peut marchander ?

Il se détend, passe ses mains sous sa nuque, croise les jambes sous les draps et fixe rêveusement le plafond. J'ai envie de lui arracher les tripes.

Il jappe :

— Je demande la relaxe.

— Rien que ça.

— Hé !

Il se remet à ricaner. Une hyène renoncerait à l'imiter.

— La relaxe ou rien.

Brusquement, Lino s'arrache de la fenêtre, bondit sur lui, et se met à lui marteler férocement la blessure. Les hurlements et les insultes se déversent à travers le bloc. Le toubib et les infirmières envahissent la pièce dans un tourbillon, font des pieds et des mains pour soustraire le lieutenant à sa furie dévastatrice.

Slimane supplie, terrifié :

— Éloignez ce dingue d'ici et je dirai tout.

16

À Alger, il y a des jours où le ciel et la mer se mettent d'accord pour inspirer un sentiment de plénitude incroyable. C'est bleu jusque dans le lit de Neptune, et le soleil rebelle et facétieux s'arrange pour réhabiliter l'été en plein cœur de l'hiver. De tous les soleils de la terre, le nôtre est le seul à réussir ce tour de passe-passe.

Tout paraît rasséréné. On entend pépier les oiseaux et bruire le feuillage. L'air est une noce de bouffées de chaleur et de senteurs délicates. On a envie de s'assoupir et de ne plus se réveiller.

Il n'y a pas de doute : le paradis est de Dieu. Quant à l'enfer, il vient des hommes.

C'est très beau, la Blanche, lorsque le lointain est si limpide qu'on reconnaîtrait un chêne d'un caroubier à des lieues à la ronde. S'il n'y avait pas ces attentats incongrus et cette colonie d'illuminés qui mite les rues et les esprits, on n'échangerait pas Alger contre mille féeries.

Du balcon où je me laisse aller, je contemple la Casbah mordant dans son récif pour échapper aux rafles des marées basses, Bab el Oued qui fait songer à une caserne un jour de quartier libre et le port, plus bas, pareil à un comptoir de tavernier où viennent se féconder les pots de vin.

Chez nous, quand bien même ce qui brille n'est pas or, ça ne l'empêche pas de fasciner...

Mais il y a Omar Malkom qui saigne du nez et ses beuglements émiettent mes rêveries. Il est à quatre pattes, un œil poché et les dents branlantes tandis que, pris de frénésie, Lino lui arrange le portrait.

— Alors, comme ça, kho, « petit à petit tu fais ton nid » ? C'est bien c'qu'il disait, pas vrai ? commy.

— Si je mens, je vais en enfer, confirmé-je.

Lino soulève sa godasse et l'écrase sur les doigts du punk.

— Ton costume de star, je vais en faire une serpillière, moi.

— Vous faites fausse route. Slimane est jaloux de ma réussite. Il vous a raconté des salades ? J'suis dans les affaires. Je gagne honnêtement mon argent.

— Comment qu'il disait déjà, commy ?

— « Petit à petit, et on tient à sa vie. »

— Apparemment, il y tient plus, à sa putain de vie.

— Il pense peut-être que tu le mènes en bateau et que, faute de preuves, tu vas finir par laisser tomber.

— Eh ben, il a tort.

Lino recule, prend son élan et shoote avec force. Omar se tord de douleur, les poings dans le rein foudroyé.

— Vous êtes en train de me torturer. Vous n'avez pas le droit. C'est interdit par la loi.

— On va se gêner. Avec la fetwa que tes gourous ont décrétée à l'encontre des étrangers, t'as aucune chance de voir Amnesty se porter à ton secours.

Je retourne à l'intérieur de la pièce, saisis le punk par sa touffe de toison et lui plaque mon haleine dans les naseaux.

— J'ai mon temps. Tu vas passer à table, dois-je pour y arriver faire des omelettes avec tes couilles. Pas la peine de brouiller les pistes. Je te colle au cul et j'vais pas te lâcher. Plus vite tu accouches, et plus vite t'es soulagé.

— J'suis dans le commerce.

— Je veux baiser Abou Kalybse. C'est personnel, tu saisis ?

— J'suis dans le commerce.

— Écarte-toi, commy.

Une gerbe de sang étoile mon genou lorsque la godasse du lieutenant s'abat sur la figure décomposée du punk.

— J'suis dans les affaires, s'obstine-t-il. Je demande pas la lune. C'que je possède me suffit. J'suis pas gourmand… Vous vous gourez, les gars. J'suis dans le commerce.

Nous le soulevons et l'attachons à une chaise.

— Pas la peine de brouiller les pistes, je te dis. Tu es le trésorier et le recruteur assermenté d'Abou Kalybse.

136

— C'est pas vrai.

— C'est vrai.

— C'est pas vrai, c'est pas vrai, c'est pas vrai…

Il s'agrippe à son leitmotiv des heures entières.

Les poings de Lino sont écorchés aux jointures. Sa chemise mouchetée de grumeaux fume dans la fournaise.

Éprouvé, je m'assois dans un fauteuil pour récupérer.

— Et si on essayait l'article 220 du code de procédure accélérée ? me suggère Lino en haletant.

Bien que groggy, Omar fronce les sourcils.

— Eh ! kho, c'est quoi votre machin ? J'suis pas un cobaye.

Lino arrache la prise de la télé et entreprend laborieusement de dénuder les fils.

— T'as déjà tenté de t'épiler le trou du cul avec un arrache-clou ?… Non ? Alors comment veux-tu que je t'explique ce qu'est l'article 220 du CPA ?

Omar Malkom est au bout du rouleau. Le souffle lui manque. D'une main exténuée, il prie le lieutenant de remballer son attirail.

— Ça va, kho, je me rends. Dieu m'est témoin : j'ai tenu le coup jusqu'à la limite de mes forces.

— Le diable est fier de toi.

Il s'abandonne sur le dossier, décortiqué, sur le point de tourner de l'œil.

— Slimane avance que c'est toi qui as liquidé Sabrine Malek.

— C'est faux. C'est vrai que je l'ai séquestrée, mais je l'ai pas tuée.

— Pourquoi l'a-t-on enlevée ?

— C'est la faute à Mourad Atti. Il aurait pas dû s'amouracher de cette garce. Elle faisait pas partie du harem. Au club, les instructions sont claires : pas d'intrus… Mourad s'est laissé embobiner par la fausse ingénuité de la pouffiasse. Or, il s'est avéré que la pouffiasse, c'était pas une pouffiasse ordinaire. C'était un attrape-nigaud. Quelqu'un l'avait injectée dans l'équipe pour remonter jusqu'au gourou. Abou Kalybse avait saisi le topo. Il a fait enlever la gosse. Elle est restée une semaine dans une baraque. Puis on est venu la récupérer. Je l'ai plus revue.

— Mourad a été exécuté pour cette imprudence.

— Il commençait à trop trébucher. C'était pas indiqué pour une famille de funambules comme le club. Depuis le début, j'avais le sentiment qu'on avançait sur le fil d'un rasoir. Mais dans ce genre de conduite intérieure, y a pas la marche arrière.

— Tu savais qui était Sabrine ?

— La fille d'un ancien manitou. C'est elle qui m'l'a dit. Je pouvais rien faire pour elle. Dans les tranchées, on veille sur son casque et sa gourde. Le reste, on le confie aux bons soins du Seigneur.

— Qui étaient les deux types qui se sont fait passer pour les agents de l'Obs ?

— Aucune idée. Abou Kalybse a des son-
nettes tous azimuts.

— C'est quoi au juste, les grandes lignes de
votre club ?

— C'est-à-dire ?...

— Qui êtes-vous ? Des intégristes ? Une organisation crapuleuse ? C'est quoi, votre tendance ?
Elle est politique, religieuse, mystique ?...

Il essuie ses lèvres ensanglantées sur son bras,
tâte ses dents. Sa poitrine papillote difficilement.

— J'en sais rien. Je manquais de fric. Le premier qui m'en a proposé m'a recruté. Notre club
s'occupe des intellos. D'autres, des industriels.
D'autres encore, de la magistrature. C'est la
guerre, une aubaine pour régler ses comptes et
faire le ménage. Personnellement, j'ai rien contre
les lettrés. J'sais même pas ce qu'ils représen-
tent... Je tiens la caisse, kho. On m'envoie un
fax : telle somme pour Untel. Je lui fais signer un
reçu que je retourne par fax, et je rentre à la maison. C'est pas que je m'en fous, j'ai pas de
reproches précis à me faire. J'suis qu'un guiche-
tier, un simple distributeur automatique... J'ai
horreur des armes à feu.

— Où se terre notre bonhomme ?

Il presse précautionneusement son poing sur
sa lèvre déchirée et dit dans un gargouillis :

— Pavillon 17, cité Deheb, sur la corniche.

Et, exorcisé, il se met à sangloter nerveusement.

Je m'empare du téléphone et appelle le bureau.

C'est Bliss qui décroche.

— Qu'est-ce que tu fous dans mes quartiers ?

— Je passais par là et j'ai entendu sonner. Comme personne ne décrochait, ben…

— Je t'ai répété cent fois de ne pas tourner autour de mes tiroirs quand j'suis pas dans le bureau… Bon, on a besoin d'une fourrière au 162, avenue des Frères-Adou. S'agit d'un gros klébard. Tu le mets au frais et tu n'en parles à personne.

— Pas même à monsieur le directeur ? s'en-quiert-il reptilien.

— Une fourrière, et que ça saute.

La cité Deheb n'a pas la conscience tranquille. Elle vit cachée dans un repli de montagne, der-rière les collines, et fait celle qui n'est pas là.

C'est une baie peinarde d'une trentaine de villas que départage une rue large et droite avec, de part et d'autre, de jeunes palmiers et des lampadaires en fer forgé. Elle fait partie de ces lots de terrain que l'on se passe sous le manteau entre ripoux de l'administration, sans fard ni fanfare pour ne pas susciter de curiosité désobligeante — des oasis fabuleuses cédées au dinar symbolique et que l'on garde à l'ombre comme un secret-défense…

Pour la dénicher, il faut être initié à ce genre de cache-tampon. De la route nationale, on ne remarque même pas la bretelle que dévore la broussaille et qui pourtant, mine de rien, se fraie son bonhomme de chemin avant de s'enhardir quelques centaines de mètres plus loin, enrobée de bitume, et se ruer sur le sable fin de la plage, ensuite sur le microcosme des bienheureux.

Quand je songe aux cités-dortoirs qui pervertissent nos paysages, aux « fourre-gens » insipides, à peine inaugurés que déjà délabrés, où l'on cultive les inimitiés ; quand je pense aux bidonvilles qui continuent de s'étendre jusque dans les mentalités, les soupiraux béants sur des émanations sulfureuses, je ne me fais pas trop d'illusions sur les lendemains.

Ce n'est pas sur des châteaux de cartes que l'on édifie des civilisations. Ce n'est pas, non plus, avec des connivences mesquines que l'on s'élève au rang des nations.

Lino a divorcé d'avec ses excès d'exaltation. La richesse des autres, il sait ce que c'est. Lino est un homme aguerri, maintenant. Aigri, mais aguerri. Il en a mis du temps pour comprendre, mais il y est arrivé.

L'œil noir, il dédaigne l'arrogance des palais pour ne s'intéresser qu'à leur numéro de porte.

Le n° 17 se goberge au bout de la rue, le menton dans un jardin et le postérieur sur le sable. C'est un vrai bijou architectural, avec de la pierre bleue sur la façade, des arcades sur la véranda et un portillon joli comme un bibelot.

Sid Lankabout nous fait poireauter cinq minutes avant de nous ouvrir.

— Llob ? sourcille-t-il.

— Surpris ?

— Absolument. Quel vent vous a traîné par ici ?

— Le vent qui tourne, monsieur Lankabout.

Il lisse le devant de sa robe de chambre, toise Lino.

— Je ne peux pas vous recevoir. Je suis en train d'écrire.

— Vous aurez tout le temps de peaufiner votre capucinade en prison.

Son sourcil droit tressaute. Imperceptiblement. Le reste demeure d'airain.

— Je vois, fait-il.

Il espère, en gardant son sang-froid, me faire croire qu'il a du caractère. Son long concubinage avec les grosses légumes du régime lui confère une altesse surfaite, théâtrale.

Il devine l'objet de ma visite, cependant le mépris qu'il a pour moi lui interdit le moindre flé-chissement.

Je le pousse sur le côté et entre dans la demeure. Le salon est encombré d'une panoplie de gadgets électroniques, de logiciels, de fax et de radios qui font de l'endroit un centre d'état-major.

— C'est votre laboratoire apocalyptique, mon-sieur Abou Kalybse ?

— Je vous ai considérablement sous-estimé, Llob.

— Le flic ou le romancier ?

— Les deux. À chaque fois que je m'apprêtais à porter votre nom sur ma liste noire, le refus catégorique de vous reconnaître du talent m'en dissuadait. Parallèlement, je me divertissais à mettre à l'épreuve votre réputation de fin limier.

De la tête, j'ordonne à Lino d'inspecter l'étage au-dessus.

Sid Lankabout s'installe derrière son bureau, hiératique, caresse les feuilles de ses inspirations.

— C'était un beau roman, soupire-t-il.

— C'est ce qu'on se dit toujours avant le rapport du comité de lecture.

Sur les murs sont accrochés les portraits des intellectuels assassinés récemment. Le tableau de chasse d'Abou Kalybse. Les trophées de sa sinistre gloire : trois écrivains, quatre érudits, un théocrate, cinq journalistes, un comédien et un universitaire.

Je m'attarde sur la grimace burlesque de feu mon ami Aït Méziane. Mon cœur se referme comme un poing.

— Quel gâchis !

Sid Lankabout rassemble ses feuillets, en fait un paquet, le tapote sur le sous-main pour le niveler. Derrière lui, la fenêtre donne sur un rocher que lèchent des vagues langoureuses.

Il récite :

— « Dieu n'améliore la condition d'un peuple que lorsqu'il aura corrigé sa mentalité. »

— C'est peut-être la vôtre qui est défectueuse.

— Je ne pense pas. Quand je vois tous ces

gens abâtardis qui engrossent nos villes, tous ces jeunes qui s'américanisent, tous ces intellectuels qui s'évertuent à nous inculquer une culture qui n'est pas la nôtre en nous faisant croire dur comme fer qu'un Verlaine vaut dix Chawki, qu'un Pulitzer pèse cent Akkad, que Gide est dans le vrai et Tewfik el Hakim dans la nullité, que la transcendance est occidentale et la régression arabisante, je fais exactement ce qu'aurait fait Goebbels devant Thomas Mann : je sors mon flingue.

Il range ses feuilles dans une chemise, les dépose dans un tiroir et lève enfin les yeux.

Il dit :

— Fallait-il exorciser le démon ou l'apprivoiser ?... Il y avait un choix à faire impérativement. On n'apprivoise pas le démon.

Je lui montre les portraits :

— Ils n'étaient ni démons, ni déments, Sid. C'étaient des gens simples, corrects, tranquilles. Ils avaient des enfants, des espoirs, des ambitions légitimes et ils ne voulaient de mal à personne.

— Foutaises ! Quand j'ai pris les armes contre le colon, ce n'était pas pour la fantasia. Je rêvais d'une Algérie algérienne, avec des médersas[1], des mosquées, des savants enturbannés. Je rêvais d'un pays fier de son identité, de son histoire, de son terroir, reconnaissable entre mille ; fier de ses accents, de sa langue, de ses traditions... Et que vois-je ?

1. École coranique.

Alger aussi dépravée qu'une métropole d'outre-mer, un peuple sans personnalité, des universités hérétiques, un destin d'une trivialité mortelle.

Il montre dédaigneusement ses victimes :

— Ils n'étaient pas braves, Llob. Ils étaient sournois, fourbes, destructeurs. Des mites. Ils étaient nos ennemis. Des traîtres. Il étaient à la solde des renégats, des suppôts de Satan.

— Aït Méziane arrivait à peine à joindre les deux bouts. Il est mort endetté jusqu'à la pierre tombale.

— C'était un piètre saltimbanque. Il incarnait le personnage démythifiant, réducteur et négativiste d'un Algérien que nous refusons... Ça ne pouvait pas durer. Le ridicule débordait les dépotoirs. Il devenait impératif de brûler la forêt pour que se régénère une autre, dératisée, désinfectée, robuste...

Il n'y a pas de doute, l'homme qui me parle est fou. Je regarde ses joues, brasiller ses prunelles, ruisseler sa sueur sur ses tempes, trembler ses doigts et ses cordes vocales...

— *Tu* as toujours détesté les valeurs sûres, Sid, puisque *tu* es un non-sens. Je *t*'ai connu rabat-joie, rancunier, austère, allergique à la bonne humeur. Le succès des autres t'indisposait. Leur vocation torturait ta susceptibilité. C'est parce que tu es un malheureux-né que rien n'a d'égards à tes yeux. Tu me parles de tes rêves et c'est le cauchemar qui rapplique. Une épouvantable araignée tapie au fond de sa toile, c'est tout ce que tu es. Tu es jaloux de chaque écrivain, de chaque artiste qui te ravit la vedette. Toute ta vie, tu tenais à surplomber le monde, à rayonner sur lui, non pas grâce à ton génie — tu en es totalement dépourvu — mais grâce au bûcher de tes hostilités, toi, le scribouillard des tyrans, intronisé non pour instruire et orienter, mais pour occulter la véritable élite tel un arbre qui pourrit la forêt. À force de sévir dans le mensonge, on ne peut plus s'en passer. Tes amis de l'ancien régime se sont servis de toi, de ton égocentrisme, de ta mégalomanie. Ils t'ont dressé contre tes alliés naturels, et contre toi-même. Ils t'ont habitué aux vertiges des hautes sphères, puis ils t'ont oublié sur un nuage. Mais tu n'es ni Dieu, ni ange, monsieur Sid Lankabout. Tu es juste une utopie. Tu fais pitié aussi bien aux vivants qu'aux morts…

Il me tend ses mains, me les livre.

Je lui dis :

— Tu n'as pas besoin de menottes. C'est à peine si tu as besoin d'une camisole.

Il regarde dans ses mains, les retourne, s'arc-boute contre elles pour se lever. Délicatement. Ses doigts se rejoignent, s'entrecroisent. Sid se croit devant un auditoire solennel, s'apprête à prendre la parole. La lumière de la fenêtre l'enveloppe telle une tunique de Nessos. Il n'est plus qu'un fantôme, une ombre qui se détache du jour.

— La folie est ce qui échappe au commun des

mortels, fait-il d'un ton détimbré. Un savant est fou dès lors qu'il manifeste son érudition parmi les incultes. Galilée était fou aux yeux de l'Église. Ibn Sina était fou de profaner le corps d'un être humain. Mais les ans apportent aux générations qui suivent d'insoutenables révélations. L'ingéniosité et l'ingénuité, la faillibilité et la fiabilité, le tort et la raison se font et se défont au gré des sautes d'humeur. Combien de traîtres de naguère sont glorifiés aujourd'hui ? Combien d'élucubrations se sont avérées d'étonnantes prophéties ?... En réalité, Llob, il n'y a pas de vérité absolue, ni de mensonge fondamentalement faux : il y a seulement des choses auxquelles on croit, et d'autres auxquelles on ne croit pas...

C'est alors que la fenêtre explose. Sid Lankabout est projeté sur le bureau, le crâne arraché par une balle de gros calibre. J'ai juste le temps d'entrevoir une silhouette jaillir de derrière le rocher, dehors, et courir vers le bosquet. Aussitôt, j'entends s'éloigner une voiture dans un crissement dissonant.

17

Le directeur a tenu à fêter la fin d'Abou Kalybse. Il a convié, à la petite réception qu'il a organisée au siège de la direction, le secrétaire de la wilaya, des commissaires, une poignée d'officiers des unités spéciales et une grappe de journalistes. Le chef suprême de la police a déclaré forfait, néanmoins il a délégué un représentant fastidieusement volubile beaucoup plus curieux de voir de quoi a l'air le tombeur de la Bête que porteur d'éloge.

Le directeur a vanté ma « persévérance » et mon « sens de l'abnégation ». Il m'a appelé par mon prénom, et j'en ai rougi comme une pucelle devant un hot-dog.

Tout le monde s'accorde à reconnaître qu'Abou Kalybse était un sacré morceau. À les entendre, on croirait le terrorisme éradiqué.

On me serre la main, on me tape sur l'épaule, on me bourre la bedaine de coups de poing triomphants — et pas un n'a trouvé utile de féliciter Lino.

Lino a presque honte d'être parmi nous, lui, le subalterne chosifié, le portefaix sans gloire et sans mérite. Ça ne l'affecte pas outre mesure. Lino *sait* que, dans une société, où l'on dit rarement merci et jamais pardon, l'ingratitude est nature.

Plus tard, il me confiera que, dans sa situation de célibataire forcé, il échangerait volontiers les honneurs du monde entier contre un modeste deux-pièces-cuisine pour fonder une famille.

Puisse saint Glinglin l'entendre.

À la maison, les enfants s'ennuient devant la

télé. Les « Grosses Têtes » de chez nous polémiquent autour d'une anecdote si barbante que ma fille menace de piquer une dépression.

J'accroche mon veston à un clou et m'installe dans la cuisine. Mina me présente une soupe d'oignons ridée de vermicelle. Elle n'est pas bien, ma bête de somme. Que de maladresse au bout du geste, que de regards fuyants.

Je la saisis par le poignet. Elle résiste, refuse de s'asseoir sur mes genoux.

— Tu n'es pas dans ton assiette, chérie.

Elle porte sa main à son front, tarabustée.

— On a parlé de ton exploit à la radio.

— On a cité mon nom ?

— Non, mais c'est tout comme.

Elle s'inquiète. Elle ne fait que ça. Son aîné est parti, sa grande se morfond faute de prétendant, son mari est tête d'affiche aux olympiades terroristes… Quand je sors, elle guette à la fenêtre. Quand j'ai cinq minutes de retard, elle perd les pédales. Elle s'effiloche, Mina. Ses rondeurs, qui excellaient à synchroniser mon pouls à leur déhanchement, se sont avachies. Son cœur ne bat qu'effroi et furie.

— Ne te fais pas de bile, chérie. Ça s'arrangera.

Vers trois heures du matin, le téléphone agace mon insomnie. Je décroche.

— Salut, habibo, aboie une voix déguisée. T'as fait du bon boulot. Je te remercie. Tu m'as retiré une épine du pied… Ça va, pas trop fatigué ? Je parie que t'étais en train de cauchemarder.

— Tu as bien fait d'appeler. J'allais mourir de peur.

— Ah ! oui…

Il raccroche.

Mina remue sous les draps.

— Qui était-ce ?

— Un veilleur de nuit claustro.

Elle se met sur le coude. Ses yeux luisent dans l'obscurité.

— Quelqu'un n'a pas arrêté de téléphoner depuis le matin.

— Rendors-toi.

Elle obéit.

Je tatillonne sur la table de chevet, trouve une cigarette, l'allume. Dans la chambre voisine, mon benjamin délire pendant dix secondes et se tait. La nuit est bleutée sur les carreaux. Un morceau de la lune languit de sa plénitude dans le ciel vampirisant.

De nouveau, le téléphone.

— C'est encore moi, habibo.

— Tu t'es trompé de comprimé, c'est ça ?

— C'est mon tempérament. Ça m'amuse de bavarder avec le gibier avant de le zigouiller. Ça nous rapproche un peu, nous familiarise. Je déteste crever un gars sans le connaître. Ça me laisse un goût d'inachevé… Hé ! c'que tu veux ? les gens ne sont pas tous pareils.

— Qui est à l'appareil ?

— Sûrement pas un bruit de friture, habibo.

— C'est une blague ?

— Les potes trouvent mon humour pas développé. L'autre jour, le type que je me préparais à égorger n'a rien trouvé de mieux pour m'attendrir que me signaler qu'il avait une pharyngite chronique (rires). T'es toujours là, habibo ? Alors, pourquoi tu tousses plus... (rires). Ciao !

Ma cigarette s'est consumée entre mes doigts. J'ai rien ressenti. Je me mets sur mon séant et je fixe le téléphone jusqu'au lever du jour. Habibo n'a pas rappelé.

— Tu es pâle, m'annonce Mina de bon matin.

— Commence pas, s'il te plaît.

J'ai déjeuné d'une seule mâchoire. Ma tartine m'est restée en travers de la gorge. Je ne sais pas pourquoi, subitement l'odeur du beurre me donne envie de dégueuler.

Au garage, le gardien me fait la même remarque :

— Vous êtes pâle, monsieur le commissaire.

— J'ai mis trop de lait dans mon café.

J'inspecte le parking, regarde sous les voitures, m'approche de ma Zastava, vérifie sans toucher les poignées à l'affût d'un éventuel fil, zieute sous le capot. Pas de traces de bombe.

— Vous êtes sûr que ça va ? s'intéresse le gardien.

— Vous êtes médecin ?

— N-nnnon...

— Alors, de quoi je me mêle ?

Le gardien rentre le pif dans le creux de son cou et s'éclipse.

Je m'installe sur mon siège, prends mon courage à deux mains, tourne la clef de contact. Le moteur brame au quart de tour. Curieusement. D'habitude, il est récalcitrant.

Ce n'est qu'en pelotant le levier de vitesse que je découvre un mot dans le rétroviseur :

« T'*est* mort habibo. »

Si Bliss racontait à mes pires ennemis que Llob est un pneu, qu'un rien le dégonfle, personne ne le prendrait au sérieux. Pourtant l'espace d'un pincement, j'ai l'impression de recevoir le ciel sur la tronche.

Habibo me rejoint au bureau :

— T'as trouvé mon message ?

— T'est, c'est avec « es ».

— Du moment que c'est pas ma langue...

— Qu'est-ce que tu veux ?

— M'amuser avec toi. J'étais dans le garage. Je me suis marré. Ta pauvre charrette, elle s'est bousillé les soupapes. Tu dois te demander où je me terrais, hein ? habibo. T'as regardé partout. Ça prouve que je suis malin. Je pouvais très bien te descendre. J'suis pas pressé. Je vais te faire souffrir. Tu vas me supplier de t'achever. J'adore être supplié. J'en jouis. Souvent, je laisse entrevoir au gibier une lueur. Il s'y accroche de toutes ses forces. Il traîne, traîne vers la porte. Dans sa tête, j'suis parti. Alors il traîne dans son sang, atteint la porte, voit l'escalier, la porte du voisin. Juste trois mètres, juste deux mètres, juste un mètre. Il lève la main comme on soulève une enclume, gratte la porte du voisin, recommence, recommence. La porte s'ouvre enfin, et le voisin, c'est moi...

Il part de son rire funeste.

Une demi-heure après, Mina m'appelle :

— On a déposé un colis devant notre porte.

— N'y touche surtout pas, hurlé-je. Et garde ton calme. Relaxe. Tu prends les gosses et tu te tires. Pas d'affolement, chérie. Alerte les voisins. Tout le monde doit évacuer l'immeuble. J'arrive...

Le colis est sur le pas de ma porte. Deux artificiers l'auscultent dans un silence insupportable. La rue est bouclée par les forces de l'ordre. Mina et les enfants frissonnent dans un fourgon cellulaire, livides et sans voix.

Je scrute les parages. Je sens Habibo tout proche, à portée de mon crachat. Et toutes les mines me paraissent suspectes.

Les deux artificiers finissent par disséquer le paquet. Ils sortent de l'immeuble, remuant l'attroupement alentour.

— Fausse alerte, m'annonce le plus gradé.

Dans le colis, je trouve du savon pour ma toilette mortuaire, un linceul et un chapelet. Une vieille coutume bien de chez nous.

Je prends Lino à l'abri des indiscrétions et lui dis :

— Débrouille-toi pour toucher mon cousin Kader, à Béjaïa. Dis-lui que je lui envoie Mina et les gosses. Il n'est pas question de les laisser à Alger.

Trois jours plus tard, sur la route de Zéralda, ma voiture est abordée par un bolide. Je discutais avec Lino dans la radio et je n'ai pas remarqué la grosse cylindrée en train de me doubler. Elle s'est rabattue d'un coup sur ma portière, m'ébranlant de la tête aux pieds. J'ai eu seulement conscience que la chaussée s'ébrouait ensuite, que le fossé m'aspirait, puis le néant...

— Plus de peur que de mal, me rassure le toubib en mirant les clichés. Vous avez le crâne aussi solide qu'un boulet de forçat.

Je ne sais pas s'il s'agit d'un compliment ou d'un diagnostic, mais je suis vachement soulagé. Je me rhabille devant la glace. Le pansement qui m'emmaillote le crâne me fait ressembler à un fakir qui se serait pris les nattes dans un moulin.

Habibo me rappelle à quatre heures du matin.

— Tu as failli gâcher ma soirée.

154

— Je ferai plus attention, la prochaine fois, n'est-ce pas Didi ?...

On rigole à gorge déployée au bout du fil :

— Didi est mort, habibo. On l'a mis dans un trou et on l'a recouvert de béton armé. La bande de Sid Lankabout, *kaput !* Il reste toi et moi. On va s'éclater... Au fait, tu les as envoyés où, tes morpions de sales gamins ? Je les retrouverai. Je ferai du pâté avec leur cervelle.

— Du zèle ! Tu disais que j'étais mort et je suis encore vivant.

— Mais non, t'es mort. Mort pour de vrai. C'est toi qui te figures que t'es encore de ce monde. Ton certificat de décès a été signé en même temps que le contrat. J'ai la réputation d'enterrer mon gibier avant qu'il vienne au monde.

— Prouve-le.

Je raccroche.

Il me rappelle aussitôt.

— Espèce de fils de pute. J'ai horreur que l'on me raccroche au nez. Ne me refais plus jamais ça.

J'arrache le fil du téléphone.

C'est lundi. Un ciel maussade dispense sa morosité à la ville. Le soleil de mon pays déprime. Les atrocités que lui lègue la nuit ont eu raison de sa magie.

Chaque matin, le BRQ nous apprend qu'un

enfant a été tué, qu'une famille a été décimée, qu'un train a brûlé, qu'un pan de bled est sinistré. Je me pince au sang pour vérifier que je ne rêve pas. Ce n'est pas un mauvais rêve. Sur la bonne vieille terre de la Numidie, les frères s'entretuent bel et bien, avec une rare férocité.

De tous les peuples, nous sommes les « plus » extrémistes. Ou nous sommes persuadés que nous sommes les meilleurs, ou nous sommes les pires. Le juste milieu, on ne sait pas ce que c'est. Nous avons les plus braves soldats du monde, les plus courageuses des femmes, et nous comptons, parmi notre progéniture, les plus effroyables monstres de la planète. Chez nous, la modération est un non-sens, un « sous-appétit ». C'est peut-être pour ça que nous demeurons aussi indomptables que déraisonnables.

Cependant, nous persistons à croire qu'un retour de vapeur est possible, que, d'un moment à l'autre, l'enfer des hommes va céder devant le paradis d'Allah, que, d'un bout à l'autre, Dzaïr redeviendra Dzaïr, c'est-à-dire un territoire où ce n'est pas tous les jours dimanche certes, mais où il fait bon vivre — un peu n'importe comment, mais pleinement à coup sûr.

Une pluie parcimonieuse lubrifie la chaussée.

Dine choisit cet instant pour se souvenir de moi :

— Llob, ma futaille adorée, s'exclame-t-il au bout du fil, j'espère que je ne te réveille pas.

— J'suis dans mon bureau.

— Justement, on y roupille mieux... J'suis

passé chez toi. On m'a dit que tu avais pris la clef des champs.

— Le coin est devenu un stand de tir.

— Ah ! Ah ! Ils t'ont rattrapé, les snipers.

— Qu'est-ce que tu veux, le retraité ? Un coup de main ou un coup de pied ?

Le commissaire Dine toussote pour se racler la gorge.

Il demande :

— Mon dossier t'intéresse toujours ?

— Ça se pourrait. Qu'est-ce qui t'a fait changer d'avis ?

— Tahar Djaout[1]. Il disait « Si tu parles, tu meurs. Si tu te tais, tu meurs. Alors, parle et meurs. »

— Je suis chez toi dans quarante minutes.

J'arrive dans la cité des crève-la-dalle avec un quart d'heure de retard. Des voitures de police encerclent l'immeuble de Dine. La vue d'une ambulance me glace le sang.

— Merde, merde, merde ! Il s'est fait avoir.

Des agents me font signe de rebrousser chemin. Le brigadier me reconnaît et fait reculer un fourgon pour me laisser passer.

— Deux terros ont cherché à liquider un collègue, m'explique le brigadier.

Je m'éjecte de mon siège. À mon grand soulagement, Dine est debout dans la cage d'escalier,

1. Écrivain et journaliste algérien. Assassiné en 1993.

un 7,62 au poing. Sur les marches deux corps désarticulés se vident de leur venin, l'un avec un coquelicot baveux sur le cœur, l'autre avec une drôle de tache de son entre les sourcils.

— Llob, chéri, ou c'est une coïncidence, ou tu es sur table d'écoute.

18

La nuit revient sur ses grands chevaux, sa cape noire au vent, les lumières de la ville comme des étincelles sous ses sabots.

Dine et moi avons opté pour la maison de Da Achour. Son retrait permet de se concentrer et d'épouiller les dossiers à tête reposée.

Nous avons collationné, recoupé nos informations, visionné des cassettes. Les images défilant sous mes yeux, les physionomies émergeant par endroits, les poignées de mains se congratulant dans l'ombre m'ont coupé le souffle.

Un grand nombre d'intégristes fréquentaient le salon des nababs, connaissaient intimement les rouages des hautes sphères. Celui-là était garde du corps de tel PDG, le voici émir d'une horde cannibalesque. Celui-ci était chauffeur d'un tel néo-bey, le voici véhiculant des tracts subversifs à travers le pays.

Au fil des révélations, je suis tétanisé par ce sentiment qui vous prend à la gorge lorsque vous vous apercevez que la lueur, au bout du tunnel, n'est que la réverbération de l'enfer.

« Dès le départ, raconte Dine, je savais la mort d'Abbas Laouer suspecte. Le banquier était hypocondriaque. Son livret médical était tenu mieux qu'un registre de permanence. Réglé comme une horloge suisse. Examen tous les six mois. Pas une once de graisse de plus, pas une calorie de moins. Il était prédisposé à battre le record en longévité.

« Au cabaret, on m'interdit d'approcher son corps. Haj Garne s'est permis de mettre en pièces mon mandat de perquisition. J'ai pensé que ses carottes étaient cuites, et c'étaient les miennes qui n'étaient pas assez mûres.

« C'était la première fois que j'enquêtais à ce niveau-là. Pour un flic qui a passé trente années à botter le cul aux petits malfrats, c'est difficile de lui faire admettre qu'il existe des gens au-dessus la loi. J'ai rouvert le dossier Laouer, une affaire sitôt entamée que déjà classée. Le rapport du médecin légiste confirmait l'infarctus. Je suis allé le bousculer. Et c'est lui qui m'a flanqué sur les fesses. Mon coéquipier s'est retiré de la compétition. Ça crevait les yeux, on ne faisait pas le poids.

« J'ai continué seul. Le juge Berrad m'encourageait. Au bout de trois mois, je n'avais pas avancé d'un millimètre. C'est à partir de là qu'un premier fusible a grillé dans ma caboche. Je voulais mettre les Limbes sous scellés. Résultat : Haj se pointe en personne dans mon bureau, me fait visionner une cassette. J'ai reconnu, prostré, ma nièce au milieu d'une épouvantable partouze. Il m'a laissé le film en guise de spécimen et m'a dit : "Et encore, j'ai pas bien cherché. Il y a sûrement un petit documentaire sur tes aventures extra-conjugales."

« La grande culbute, Llob. Mais je m'accrochais. J'ai filé Soria Atti, alias Anissa. J'ai pris des photos. Le jour où j'étais persuadé de l'avoir coincée, elle m'a ri au nez. Pendant que je déballais sur son lit mes prises de vue compromettantes, elle a actionné la vidéo. Et j'ai vu maître Berrad, le doyen de la magistrature, en train de se faire mettre par tous les orifices par un mineur. "À ta place, je renoncerais à courir la licorne, m'a dit Anissa. Ce serait moche de s'empaler dessus."

« Cette fois, j'étais seul, vraiment seul. Plus d'allié, plus de soutien. J'enrageais.

« Haj Garne approvisionnait en prostituées quatre bordels de luxe, avait des abonnés parmi les autorités et entretenait une véritable vidéothèque porno pour les faire chanter. Députés, diplomates, conseillers, juristes… Pour m'envoyer chier, Garne m'a certifié qu'il avait des diapositives sur Ève et Adam.

« Son industrie était plus qu'un conservatoire pour pigeons, c'était un argument politique. À chaque fois qu'une autorité politique plus ou moins exacerbée par la dérive sociale tentait de dénoncer la mauvaise gestion, on lui expédiait une copie de ses fantasmes. Si elle s'obstinait, on la liquidait.

« Comme je m'obstinais, ils se sont arrangés pour me tenir sur le qui-vive H-24. Je me méfiais de tout le monde. De ma femme, de mes mômes, du facteur... Et c'est comme ça que je me suis retrouvé chez les dingues. »

Nous sortons sur la véranda voir la mer cosser le récif. Les vagues se marrent comme des baleines. Leurs embruns excitent nos lèvres. Nous pompons avidement l'odeur des algues pour évacuer le remugle de notre intérieur.

— Qui est derrière le grand bordel ?

Dine gonfle les joues.

— La mafia politico-financière. Toute cette putain de guerre, c'est elle qui l'a provoquée et c'est elle qui l'entretient. Un ramassis d'anciens politiques qui n'ont pas pardonné d'avoir été évincés, d'anciens patrons kleptomanes qui ont fini de purger leur peine et qui reviennent sur scène se venger, des administrateurs destitués, des revanchards qui veulent prouver je ne sais quoi... toute une confrérie de responsables irresponsables dont les charniers d'aujourd'hui inspirent et titillent la vocation de charognards...

— Je veux des noms, Dine, des noms...

— Le nom de la secte, grogne Da Achour du fond de sa chaise à bascule. (Il me montre la mer

en transe.) Écoute rouler les flots, Llob. Les flots
paniquent déjà. Le troisième millénaire s'éveille
à la gloire des gourous…

19

Les gens n'aiment pas que l'on se mette en travers de leur soleil. Ça les met en boule, et ils
réagissent très mal. Salah Doba le sait. C'est
pourquoi il a choisi de se faire tout petit. Les
petits ne font pas trop d'ombre. Ils vivent camou-
flés dans la leur. Ça les préserve du mauvais œil.

Salah Doba est intelligent. Être petit n'interdit
pas de voir grand. Aussi ne s'est-il pas gêné.

Et puis ça a du bon, la petitesse. Les nains sont
les derniers à recevoir les tuiles sur la tête et les
premiers à se rendre compte quand la marée
monte. En conséquence, ce qu'ils perdent en hauteur, ils le récupèrent en perspective.

Administrativement, Salah Doba est sous-fifre
au sous-sol de la banque nationale Wafa, rue des
Trois-Pendules. En pratique, il est courtier pluridisciplinaire. Sa mission consiste à débrouiller
des marchés lointains au profit des grosses
légumes de l'ancien régime et à blanchir de l'argent sale. Il connaît sur le bout des doigts des
entreprises fictives, les transactions bidons et est

réputé pour être un as en matière de faux et usage de faux. Grâce à ses prouesses, un grand nombre de personnes charismatiques-et-tout ont érigé des châteaux en Espagne et engrossé les banques suisses.

Se contentant des miettes, et en bonne fourmi laborieuse et secrète, personne ne soupçonne l'empire qu'il a su édifier derrière sa minuscule stature de fonctionnaire négligeable.

Sa maison lui ressemble. De la rue, c'est une bâtisse ordinaire. Façade grotesque, portail sans originalité badigeonné d'un orange criard, de quoi désespérer les hitistes en quête de mur à soutenir.

Tout à coup, une fois le seuil longé, on atterrit dans une oasis.

Il nous reçoit dans la véranda. Humblement. Comme si sa forteresse n'était que le fruit de notre imagination.

C'est un bonhomme émacié, au regard métallique et aux gestes chronométrés. Il nous sert des citronnades, des confiseries de Paris et, attendri par notre appétit, il nous observe en souriant à la manière d'une âme charitable regardant manger des chiots.

— Monsieur Doba, commence Dine en léchant ses doigts, le commissaire Llob et moi reprenons l'affaire Laouer.

— C'est de l'histoire ancienne…

— Je sais. Vous avez été démis de vos fonctions à cause de la mort de votre directeur. On a cherché à vous faire porter le chapeau des trous constatés dans les coffres. Mais il s'agissait de cent vingt millions de dollars. Un cratère de ce genre ne pouvait être que l'ouvrage d'une excavatrice géante, et vous êtes si frêle.

Salah Doba étire davantage son sourire, pousse le plateau de friandises dans ma direction comme s'il s'agissait d'un micro.

— Et qu'en pense le commissaire Llob?

— Je pense qu'on s'est servi de vous.

Il se renverse sur son dossier, croise ses doigts de rongeur sur son ventre.

— Dans ce cas, nous sommes dans le même sac, commissaire Llob. J'ai eu vent de votre dernier exploit. Vous avez mis fin aux agissements de Sid Lankabout. C'est très bien. Pourtant, la fiesta continue.

— Je ne vois pas comment nous pouvons être dans le même sac, monsieur Doba.

— On s'est servi de vous, vous aussi.

— Comment ça?

Il contemple le ciel. A priori, il n'est pas facile de l'impressionner. Aussi petit soit-il, il paraît enfaîter son empire mieux qu'un shah. Je retrouve chez lui l'attitude qu'affichaient Haj Garne, Sid Lankabout et consorts devant ma trivialité.

— Commissaire, de mon coin de limogé, je continue de bénéficier d'égards. En vérité, on ne m'a pas relevé de mes fonctions, on m'a éloigné des indiscrétions. C'est la procédure habituelle. Dès qu'une ligne de mire s'arrête sur un pion, on

164

le change de case. Le temps que les choses se tassent, et on le réintègre dans le dispositif…

— Vous ne répondez pas à ma question.

Il ébauche une moue excédée.

— Commissaire, généralement, quand on se croit malin, on n'est jamais que le dindon de la farce… Tenez, cette histoire d'Abou Kalybse, c'est quoi ? C'est tout simplement l'histoire d'un autre malin, d'un autre dindon. Un émir qui ne figurait pas sur l'organigramme officiel des terroristes s'est mis à faire des siennes. Comme ce qu'il faisait n'était pas programmé, ben, il sapait la chorégraphie mise en place. Le plus grave, l'intrus ne s'empêchait pas de puiser dans la réserve du contingent et c'était pas bien du tout. Il discréditait les vrais commanditaires auprès de leurs partenaires. Il devenait, par conséquent, urgent de localiser la cellule cancéreuse. Il fallait un bon dépisteur, et il n'y avait pas mieux sur le marché que le commissaire Llob. Vous avez mordu à l'hameçon. Grâce à vous, on a fait d'une pierre deux coups. On s'est débarrassé de l'intrus, et on l'a fait dans la légalité. Pour le commun des contribuables, la police a réglé son compte à Sid Lankabout, alias Abou Kalybse. L'affaire est classée.

J'essaie de déceler une lueur sardonique dans ses prunelles. Salah Doba ne plaisante pas.

— Je suis fatigué, commissaire. Fatigué des supercheries, de la manipulation, des puzzles…

Rentrez chez vous, c'est un conseil d'ami. Vous ne faites pas le poids.

— On est des cascadeurs, dit Dine.

— Ça ne vaut pas la chandelle, messieurs. Vraiment, ça ne vaut pas le coup. Rentrez chez vous.

Dine n'est pas ému. Il picore dans les confiseries, les joues cabossées, il insiste :

— Ce ne sont pas les cent vingt millions de dollars qui nous tracassent, monsieur Doba. Le bled a les quatre fers en l'air. Ça nous botterait de le relever.

Doba émet un rire flapi.

— Ça se voit que vous ne savez pas de quoi vous parlez.

— Nous parlons de la mafia politico-financière…

— Fantaisies ! Des mots, rien que des mots, des vocables accrocheurs, des appellations tintinnabulantes, des phraséologies. Ces gens-là sont les plus forts. Inexpugnables. Ils ont la rigueur de l'Organisation du Crime, la solidarité de la Cosa Nostra, l'immunité des parlementaires et l'impunité des dieux.

— Un nom, monsieur Doba, un seul. Le reste, c'est à nos risques et périls.

— Qu'est-ce qui vous fait supposer que j'en connais un ?

— Nous détenons des documents, des films, des enregistrements. Nous savons, par exemple, ce que vous êtes allé chercher à Beyrouth en 91, pourquoi vous avez écourté votre séjour en Syrie en 92, ce que sont devenus vos deux compagnons dans le désert libyen en 94, pourquoi votre maîtresse de Staoueli s'est jetée du cinquième étage…

— Ça suffit! Puisque vous avez des preuves, qu'attendez-vous pour m'arrêter? (Devant notre silence, il poursuit.) Du vent! (Il souffle dans le rond compris entre son pouce et son index.) Du vent! Une peine perdue. Vous ne faites pas le poids. Ici, ce n'est ni l'Italie, ni la France, ni les États-Unis. Ici, la justice se prostitue aux plus offrants. Les valeurs fondamentales sont inhérentes aux relevés bancaires. Si vous avez du fric, vous êtes chics. Tout à fait chics. Absolument chics. Si vous n'avez pas le sou, même si vous êtes le Messie, tout le monde s'en fout.

Il consulte sa montre et fait :

— C'est l'heure de mon feuilleton préféré. Au revoir, messieurs.

Nous levons l'ancre.

Avant de prendre congé, je dis à Salah Doba :

— La seule différence qu'il y a entre vous et les terroristes est que les terroristes prennent des risques, et vous pas. Si leur témérité ne minimise pas leur lâcheté, elle vous rend, vous, indigne de mépris.

On savait, depuis le début, Salah Doba inébranlable. De ce côté, on ne se faisait pas trop d'illu-

sions. Notre visite se voulait un coup de mani-
velle, à tout hasard. On lâche le mot et on guette
la rumeur.

Nous avons déployé une station d'écoute au
sixième étage d'un immeuble, à une centaine de
mètres de l'oasis. Notre opérateur est carrément
répandu sur son tableau de bord, énorme et en
sueur, les écouteurs sur les tempes.

— Alors ? s'enquiert Dine en prenant place à
côté de lui.

L'opérateur agite négativement son crayon.

Une vingtaine de minutes après, il secoue ses
flaccidités, redresse son crayon pour demander le
silence. Les bobines du magnétophone se mettent en branle dans une stridulation horripilante.

— Qu'est-ce qui se passe ? tonne une voix
rauque à Salah Doba. Il paraît que tu as reçu
deux flics.

— Deux mouches. Elles agacent, mais elles
ne piquent pas.

— Ils sont numérotés ?

— Des voies de garage, je te dis. Du menu
fretin.

— Ils voulaient quoi ?

— Une vieille histoire. Il n'y a pas le feu, je
t'assure. Si c'était sérieux, tu penses bien que je
t'aurais mis au parfum.

— Je suis allergique au parfum, crie l'autre
avant de raccrocher.

J'entends Salah Doba traiter son interlocuteur

d'ordure, puis tut !... Dine, qui écoutait aussi, enfonce un doigt dans le creux de sa joue.

— C'est pas bon pour lui. Qu'est-ce qu'on fait ?
— On attend.

L'opérateur éventre une sacoche en papier, en extirpe un sandwich gargantuesque et l'enfourne avant que j'aie le temps de me pourlécher les babines. Je recommande à Dine d'aller se reposer. Des heures passent. Lentes. Pesantes. Cortège de pachydermes. Je surveille la rue avec des jumelles. Parfois, au gré d'un voyeurisme viscéral, je m'attarde sur telle ou telle fenêtre, profanant l'intimité des gens. L'opérateur s'est assoupi. Il ronfle, les pattes sur le tableau de bord, la chemise ouverte sur un nombril débordant de sueur.

Le soleil commence sa descente aux enfers. Il plonge dans la mer, tente de rejoindre le rivage en s'agrippant aux vagues, mais le courant du large l'entraîne sans coup férir et il sombre dans une giclée de rage et de sang.

Des étoiles mouchettent le toit du monde. La nuit est déjà sur la ville, la lune tel un œil crevé au milieu du front. Au loin, les voitures hasardent leurs phares sur les routes traîtresses. Les sirènes s'affolent derrière les immeubles. En un tournemain, les rues sont dévitalisées. Seuls les lampadaires assistent les trottoirs dans leur consternante pauvreté.

Dine me rejoint.

Vers onze heures, une Mercedes se manifeste au bas de l'avenue, remonte furtivement la chaussée, dépasse la maison de Salah, fait le tour, revient s'arrêter devant le portail orange. Un type en descend, sonne à la porte et recule de deux pas. Salah Doba se montre sur le perron en pyjama. On n'entend pas les détonations. Le « petit » s'abat sur la marche, les mains au ventre. Le tueur se penche sur lui, lui loge trois balles dans la tête.

— Merde ! s'écrie Dine.

Je m'empare de mon émetteur et alerte Lino et Bliss embusqués dans le coin.

— Suivez la Mercedes.

Il n'est pas parti loin, le tueur. Il a rangé sa voiture dans un parking, au bout du quartier et s'est engouffré dans un hôtel de passe.

Le navet qui se ramollit à la réception nous chasse de la main avant que nous ayons poussé la porte.

— C'est complet.

Je lui sors ma plaque avec un talent de prestidigitateur. Il réplique par un tapotement sur son registre.

— Mes clients sont en règle.

Puis il nous ignore et se remet à suivre un match de boxe à la télé.

— Ça t'ennuierait de t'occuper de nous ?

— Ouais, ça m'ennuierait beaucoup. Je vous dis que c'est complet et que mes clients sont en règle. Vous voulez consulter le registre, il est là. J'ai horreur qu'on me dérange quand deux dingues se tabassent sur un ring.

170

Je passe mon bras par le guichet, le saisis par la pomme d'Adam, et lui écrase la figure contre le plexiglas. Son nez s'entortille sur la vitre, la voile de buée. Je le laisse manquer d'air et s'étouffer.

— Un camarade vient juste d'entrer. Blouson noir et bottes…

— 316, suffoque-t-il.

Je le propulse contre sa télé et grimpe les escaliers. La 316 ouvre le troisième étage. Nous nous plaçons de part et d'autre de la porte, le flingue au garde-à-vous. Le rire d'une femme roucoule. La poignée cède sous ma main. Par l'entrebâillement de la porte, j'aperçois le camarade. Il est au lit, en train de téléphoner, pendant qu'une fille ronde et nue lui mordille les épaules.

— C'était pas prévu, habibo, rouspète le camarade. J'ai un avion à prendre demain, avant le soir. Il me le faut, ce fric… C'est pas possible, habibo. J'ai reporté mon départ trois fois.

La fille se raidit la première. Du doigt, je la somme de désamorcer sa sirène. Le « habibo » nous découvre enfin. Son bras court vers le flingue sur la chaise.

— Ce serait con, le dissuadé-je.

Il balance le téléphone contre le mur, s'allonge sur le plumard, passe ses mains sous sa nuque et grommelle :

— Je leur avais dit qu'il fallait te liquider. Ils ont refusé de m'écouter… Putain ! me faire avoir par un connard.

— Hé ! *C'que tu veux ? Les gens ne sont pas tous pareils.*

20

Avec la pointe de son canif, Lino grave des arabesques dans la table. Ses orteils déchaussés vicient les rares bouffées d'air qu'a épargné le relent des W.-C. Dans le silence moite du bureau, on entend juste le raclement de la lame contre le bois. Par intermittence, le lieutenant souffle sur sa calligraphie, fortement enjoué par son talent.

— J'irai l'exposer au musée, après.

— Tes chaussettes avec.

Nous guettons le coup de fil de Dine. Puisque je suis sur table d'écoute, semble-t-il, pourquoi ne pas en profiter ? Habibo a craché le morceau. Il a refusé de parler sans la présence de son avocat et a exigé qu'on le livre au commissariat du quartier. Nous l'avons conduit dans une ferme isolée au sortir de la ville, et nous avons passé la nuit à le cuisiner.

Habibo s'appelle Hamma Llyl. Employé dans une boulonnerie à Annaba, il y a mis le feu au lendemain de l'extraordinaire évasion des neuf cents intégristes de Lambèse. Après quelques escarmouches dans le maquis, il s'est spécialisé dans le terrorisme urbain. Dix-huit assassinats en une année. Sa réputation l'éleva au rang des tueurs les plus convoités du pays. Depuis deux ans, il fait la navette Constantine-Alger, un 9 mm muni d'un silencieux dans sa trousse de toilette. Il chasse uniquement le gros gibier : syndicalistes, hauts-fonctionnaires, officiers, éditorialistes, émirs gênants.

Il ne connaît pas ses commanditaires. Même s'ils l'autorisent à remonter jusqu'à eux, il déclinerait l'invitation. Un tas de tueurs ont été désintégrés à cause de ce « privilège ». Les commanditaires paient bien. Mais ce sont des Méduses. Ils transforment en pierre (tombale) l'imprudent qui lèverait les yeux sur eux.

Lino manque de se couper avec sa lame lorsque le téléphone sonne. Du doigt, je le prie de patienter. Au sixième bêlement, il prend :

— Central, j'écoute… Ah ! c'est vous, commissaire Dine… Je suis désolé, il est en réunion. Il m'a ordonné de ne le déranger sous aucun prétexte… Si vous insistez, je vais voir ce que je peux faire. Ne coupez pas…

Il repose l'appareil, remue une chaise, feint de sortir. Je compte trois minutes, tape des pieds sur le sol, m'empare du combiné.

— Oui, Dine ?… Écoute, rappelle-moi dans une petite heure. Je suis en plein…

— C'est extrêmement important.

— Tu as trouvé une mouche dans ton verre ?

— J'ai mis la main sur le type qui te harcelait, le habibo. C'est un tueur professionnel. Hamma Llyl, c'est son nom. Il a descendu Salah Doba.

— T'en es sûr ?

— Llob, s'il te plaît, reporte ta putain de séance. Je te dis que c'est prioritaire. Le gars est en train de pisser son sang dans la malle de ma voiture. Si tu veux l'entendre de tes propres oreilles avant qu'il clamse, magne-toi le train.

— Ramène-le-moi ici.

— Pas question. Y a trop de taupes. Trouve-moi chez Khélifa dans trente minutes.

— Tu appelles d'où, exactement ?

— D'une cabine, à deux kilomètres de Sidi Moh.

Je feins de réfléchir.

— Pas chez Khélifa. Tu connais la rue Gard ?... Non, écoute, tu t'rappelles la ferme abandonnée, à proximité du lac salé, vers Douar Nayem ?

— Je vois où c'est. Excellente idée. Retrouvons-nous là-bas dans une heure... Encore une chose, Llob. Viens seul. J'insiste. Seul. Un de trop, et le ciel nous tombe dessus.

Je commence à avoir le torticolis à force de solliciter mon rétroviseur. La ville recule derrière l'écran de la fournaise. L'autoroute est fiévreuse. Je roule complètement à gauche, et je surveille les voitures qui me rattrapent et me dépassent dans un carrousel endiablé.

Douar Nayem est grand comme un mouchoir de poche. Six gourbis cariés, un patio croulant et, en guise de buanderie, un bassin grouillant de bestioles. La piste qui le rejoint n'a pas fini de se gratter l'ornière que c'est déjà l'école buissonnière. Du nopal dresse ses têtes de Christ le long d'une haie, cachant la misère des taudis. Pas un berger en vue. Le village est désert. Le petit peuple a fui les exactions des groupes armés.

La ferme est à une centaine de mètres derrière un sous-bois peuplé de stridulations et de buissons teigneux ; un endroit idéal pour les traquenards.

Dine m'attend dans la cour, paré d'un gilet pare-balles et d'un pistolet mitrailleur petit modèle. Il me désigne un gilet :

— Couvre-toi bien si tu ne veux pas attraper froid.

Un merle soliloque dans le taillis. Une brise désœuvrée taquine les herbes sauvages. La campagne se laisse terrasser par la canicule. On se croirait au bivouac.

— Les voilà ! m'alerte Dine en faisant claquer la culasse de son arme.

Un fourgon quitte la route, remonte vers le hameau, contourne le bassin, puis le sous-bois et s'immobilise à une cinquantaine de mètres. Sa portière coulisse sur un groupe de cinq individus armés et en cagoule, portant des tenues bariolées.

Les hommes de Chater, embusqués tout près, ne leur laissent pas le temps de se déployer.

Une rafale nourrie fauche deux terros. Les trois autres, pris au dépourvu, tentent de regagner le sous-bois. Les rafales les balaient, et ils s'écroulent. Le fourgon rebrousse chemin, chavire sur le corps d'un blessé, déracine un arbuste. Il est aussitôt pris dans l'orage de feu. Son réservoir flambe, contamine le reste de sa carrosserie. Une torche humaine s'en éjecte en hurlant, tourbillonne et va se consumer sur un monticule rocailleux.

Ça s'est passé très vite, comme dans un rêve. Le silence qui s'ensuit plonge la colline dans un monde parallèle. Déjà, le lieutenant Chater et ses hommes surgissent de leur tranchée, à l'affût, et avancent sur la boucherie.

Étendu sur une touffe d'herbe, un mastodonte râle, la poitrine déchiquetée. Sa main ensanglantée n'arrive pas à atteindre la Kalachnikov à côté.

Dine éloigne l'arme du pied, se penche sur le blessé, lui arrache la cagoule : c'est l'albinos à Ghoul Malek.

21

Je regarde Alger et Alger regarde la mer. Cette ville n'a plus d'émotions. Elle est le désenchantement à perte de vue. Ses symboles sont mis au rebut. Soumise à une obligation de réserve, son histoire courbe l'échine et ses monuments se font tout petits.

Alger vit à l'heure des idées fixes. Ses troubadours ne chantent plus. Partout où porte leur muse, ils la voient muselée. Leurs mains, orphelines, plutôt deux fois qu'une — d'abord pour la flûte qui s'enraie, ensuite pour la plume qu'on assassine — ne savent plus tâter le pouls de la terre comme elles le faisaient naguère lorsque nous étions sorciers et sourciers.

Alger est un malaise, on y crève le rêve comme un abcès.

Alger est un mouroir. Dieu y fait fonction de sédatif, plus personne ne veut croire que le bonheur est une question de mentalité.

Alger est un drame itinérant. Ses lendemains n'auront pas plus d'égards pour un spectre indécis que les chacals pour un congénère qui fléchit.

Je range ma Zastava en haut de Notre-Dame. Au loin, au-delà le port hérissé de grues chagrines, le Maqam s'oublie sur sa colline, semblable à un grand garçon attardé. Je vois la Casbah crucifiée dans le parjure, pareille à la carcasse d'une sauterelle que turlupinent les fourmis. Les temps ont changé.

Elle n'était pas tout à fait malheureuse, autrefois, la Casbah. Sa foi était immense. Elle était fière de ses artisans, de ses cordonniers et de la chéchia de ses boutiquiers. Elle savait surtout partager ses joies et garder ses peines pour elle. Il y avait Dahmane le Tatoueur qui réussissait, sur la poitrine des maquereaux et sur les bras des matelots, des fresques étonnantes. Il y avait Rou-kaya la Guérisseuse, une centenaire aveugle dont les doigts furtifs raboutaient les fractures les plus sévères rien qu'au toucher. Il y avait Alilou Domino qui se défaisait de ses interminables rivaux en un tournemain ; ce sacré Alilou qui mourut d'apoplexie le jour où, distrait par l'ébriété de Moha Didou, il omit de se débarras-ser de son double-six. Il y avait Bahja la Vestale aux yeux de biche que personne n'osait appro-cher de crainte de la voir s'évanouir comme une houri…

Nous étions pauvres mais, tels les nénuphars que les eaux croupissantes de l'étang n'altèrent pas, nous flottions à la surface des déboires avec une rare sobriété et nous guettions la moindre lumière pour nous en inspirer.

Puis, à l'éclosion du cocon et devant l'auto-dafé des serments, notre mémoire s'est « désen-soleillée ». Le soir s'est installé dans nos cœurs, un soir sans lune et sans étoiles, sans audace ni tendre passion ; une pénombre tendue en toile d'araignée dans laquelle nos prières s'amenui-sent sans susciter de sérieuses inquiétudes.

Je suis allé au bureau rassembler des centaines de photos des victimes du terrorisme. Lino m'a demandé si c'était pour mon prochain bouquin. Je ne lui ai pas répondu.

Je me suis rendu au 13 rue des Pyramides. Ghoul Malek n'était pas chez lui. J'ai brisé un carreau et me suis introduit dans le palais.

J'ai mis deux heures pour épingler les photos sur les murs, les tableaux, les bibelots, les tapis, les rideaux, les chaises. Des photos insoutenables montrant des enfants égorgés, des femmes violées, des vieillards décapités, des mères exhumées, des soldats écartelés, d'illustres pauvres bougres suppliciés. Une fois mon décor étalé sur l'opulence indécente du mobilier, je me suis allongé sur un canapé et j'ai fixé le plafond à le crever.

La nuit est tombée comme un masque. Je n'ai pas allumé. J'ai continué de fumer.

Une voiture se gargarise dans la cour, se tait. Des pas gravissent le perron. Un cliquetis de clefs, et la porte s'écarte devant la carrure éléphantesque de Ghoul Malek.

— Chérif! appelle-t-il.

Le lustre s'enflamme.

— C'est quoi, ce bordel! s'écrie le nabab incrédule.

— C'est votre chef-d'œuvre, monsieur Ghoul.

Pendant cinq secondes, il reste sans voix en me découvrant derrière lui.

— Qui vous a permis d'entrer ici ? Où est Chérif ?

— Vous voulez parler de votre Moby Dick ? Il a coulé pour de bon.

Sa figure s'embrase, ses bajoues vibrent.

— Comment avez-vous osé traîner vos guêtres jusqu'à chez moi ?

— Je me le demande encore.

— Vous avez perdu la tête, commissaire ?

— Disons que j'ai perdu beaucoup d'amis.

C'est un plaisir de voir sa pomme d'Adam rebondir dans sa gorge cramoisie. Il se ressaisit aussitôt, avance sur le téléphone.

— Pas la peine, monsieur Ghoul. Nous sommes complètement coupés du reste du pays. Il y a juste nous quatre : le diable, Dieu, vous et moi.

— Vous êtes ridicule, commissaire. Ramassez-moi cette foire et foutez le camp. La journée a été rude. J'ai besoin d'être seul.

Il s'en va.

— Ghoul !

Mon cri l'ébranle.

— Je sais tout.

Il dodeline de la tête, revient sur ses pas, s'appuie contre un fauteuil et me considère avec mépris :

— Ce que vous ne savez pas, commissaire, c'est quelle fosse vous êtes en train de vous creuser. Les petits minables dans votre genre ne se dressent pas contre moi, ils s'exposent... Vous êtes venu m'arrêter ? Vous n'y croyez même pas. On n'arrête pas Ghoul Malek... Qu'espériez-vous atteindre, avec vos gravures idiotes ? Ma conscience ? M'attendrir ? Me culpabiliser ?... Imbécile. Vous n'avez donc rien compris. Depuis que le monde est monde, la société obéit à une dynamique à trois crans. Ceux qui gouvernent. Ceux qui écrasent. Et ceux qui supervisent. Un raïs n'a pas besoin de matière grise, sa couronne lui suffit. Vous, commissaire, votre képi fait parfaitement votre affaire. Contentez-vous de garder vos œillères bien droites. Le reste, ce n'est pas vos oignons. Il existe, dans la hiérarchie sociale, une force motrice. Elle échappe aux gouvernements et à leurs sujets. Chez elle, la notion de scrupule est nulle. Elle n'a pas besoin de s'embarrasser d'interdits. La seule chose qui la motive est comment botter le derrière à la nation pour qu'elle ne s'endorme pas sur ses excréments.

Je ne m'explique pas ce qui m'arrive subitement. La fureur qui m'aidait à surmonter l'angoisse de l'attente, tout à l'heure, les pensées et les mots qui me mobilisaient sur le canapé s'évanouissent, me fuient, font du vide autour de moi.

Le salaud m'intimide. Son regard me rapetisse, me fait rentrer sous terre. Il me semble que, s'il venait à lever la main, je prendrais mes jambes à mon cou sans me retourner. Cet être abominable, ce monstre nous a chosifiés durant trente ans. J'ai du mal à croire que je tiens encore debout devant lui.

Et lui, parle, parle… Dans ma tête efferves-
cente, des bribes fulgurent, vont et viennent :

— Tout pays a besoin de crise pour se recy-
cler. Bien sûr, il y a de la casse. Mais qu'est-ce
qu'une poignée de martyrs face à la renaissance ?
C'est même une exigence. Ça fait croire en la
patrie et ça prépare les sacrifices de demain. (…)
Les seules tâches qui échoient au peuple sont le
vote et la guerre. (…) Vous êtes un idéaliste,
monsieur Llob. Vous avez une idée utopique du
patriotisme. Vous êtes vous-même une obsoles-
cence. (…) Le monde se métamorphose au gré de
ses appétits. Désormais, le nationalisme ne s'éva-
lue qu'en fonction des intérêts. Ils sont sa garantie, sa survie. Aujourd'hui, notre pays saigne à
blanc pour accoucher à la césarienne d'une nouvelle Algérie, celle de demain, moderne, forte,
ambitieuse. Nous avons pris un mauvais départ
dès 1954. Notre révolution a été un fiasco ; la
preuve, après trente années d'indépendance,
c'est la régression, le totalitarisme, le règne de la
médiocrité. Cette guerre n'est pas une malédic-
tion. C'est une aubaine, une chance inouïe, une
providence. Nous l'assumons. Nous la gérons.
C'est notre patte blanche, à nous, la rançon que
nous payons pour ne pas être exclus du nouvel
ordre mondial. Pour passer d'un système socialiste caricatural à l'ouverture du marché, il faut
s'acquitter de la taxe douanière. C'est ce que
nous sommes en train de faire. Nous allons rebâ-

tir un pays capable de négocier ses chances sans avoir à se faire petit puisque les concessions, c'est par cette guerre que nous les observons.

Il me montre la porte, me somme de sortir et s'éloigne.

— J'ai horreur de tirer dans le dos, l'avertis-je.

La main sur la rampe, il me fait face, toise mon arme et part d'un rire homérique.

— Vous êtes complètement disjoncté, commissaire.

Je m'entends bredouiller :

— Il y a trois instances, censées juger les hommes, monsieur Ghoul. La conscience, la justice et Dieu. Il arrive aux deux premières de faillir, pas à la troisième. Et elle vous attend de pied ferme.

Ses traits s'effacent d'un coup. Il devient livide ; ses lèvres se dessèchent.

— Vous n'êtes pas sérieux, commissaire. Vous êtes flic. Vous n'avez pas le droit.

— Je crains que ce soit le seul droit qui me reste.

Quand je suis revenu à moi, je me suis surpris en train d'appuyer comme un forcené sur la détente alors que le canon de mon arme s'était depuis longtemps refroidi.

DU MÊME AUTEUR

COLLECTION FOLIO POLICIER

Dernières parutions

Cet ouvrage a été réalisé
par la Société Nouvelle Firmin-Didot
à Mesnil-sur-l'Estrée, le 5 avril 2002.
Dépôt légal : avril 2002.
1er dépôt légal dans la collection : octobre 1999.
Numéro d'imprimeur : 59303.
ISBN 2-07-040966-X/Imprimé en France.